LA SANTÉ
PAR LES
MÉDECINES DOUCES

Couverture et photos dans le texte: Valmont Brousseau, photographe.

Illustrations: Gisèle Bodiou.

Du même auteur Effacer le ventre: cinquième édition.

Effacer les douleurs. Tome I.

Effacer les douleurs. Tome II.

Soigner vos cheveux par les médecines naturelles.

Cours de Digito-Puncture esthétique. Tome I.

Cours de Digito-Puncture esthétique. Tome II.

Cours de Digito-Puncture sur les douleurs.

Poster en couleur des méridiens et des points. 90 × 70.

Guide pratique d'esthétique naturelle.

Guide de l'épanouissement sexuel.

La plupart de ces ouvrages sont disponibles en français, anglais, espagnol, portugais, italien, allemand, grec, yougoslave, hollandais.

AU CANADA
N.B.S.
B.P. 471
Piedmont, Qué.
J0R 1K0
Tél.: (514) 227-5791
      (514) 382-6770

GISÈLE LAFORTUNE
288-3303
EN EUROPE
N.B.S.
B.P. 253
21007 Dijon, Cédex
France

Nous organisons dans le monde entier des séminaires de DIGITO-PUNCTURE.

JACQUES STAEHLE

LA SANTÉ
PAR LES
MÉDECINES DOUCES

Éditions de Mortagne

Édition:
Les Éditions de Mortagne
171, boul. de Mortagne
Boucherville, (Québec)
J4B 6G4

Distribution:
Tél.:(514) 641-2387

Dépôt légal:
Bibliothèque nationale du Canada
Bibliothèque nationale du Québec
4e trimestre 1983

ISBN: 2-89074-146-X
3 4 5 6 7 -84- 92 91 90 89 88

IMPRIMÉ AU CANADA

Table des matières

En pleine forme

La pleine forme, vous connaissez?

Moi oui, pourquoi pas vous. Être au mieux de sa forme, c'est avant tout profiter de la vie, se sentir bien dans sa peau et dans sa tête.

Mais la vie c'est plein de problèmes, il y a les hauts et les bas!

Certes! et des problèmes j'en ai comme tout le monde, mais j'ai appris à y faire face et pour cela j'ai surtout élevé mon seuil d'invulnérabilité. Alors pour le stress, les petits bobos qui nous gâchent la vie de chaque jour, j'ai mis au point des techniques afin d'éviter de les subir.

Je vous les propose pour que vous soyez, vous aussi, toujours en pleine forme.

Voyons tout d'abord ce qui peut altérer notre forme. En priorité, les dysfonctionnements organiques qui provoquent des douleurs, quelquefois un état de fatigue ou de nervosité.

Et dieu sait s'il y en a des dysfonctionnements organiques: constipation, diarrhée, digestion lente et pénible, ballonnement, brûlures d'estomac, crampes, insomnie, règles douloureuses, irrégulières, insuffisantes, ou trop abondantes, jambes lourdes, varices, hémorroïdes, hypertension ou hypotension, vue qui baisse et toutes les

9

petites douleurs qui nous empoisonnent la vie comme le mal de dos, l'arthrose, les rhumatismes, les douleurs aux genoux, jusqu'au gros orteil, douleur qui quelquefois se fait bien remarquer sans que ce soit nécessairement la goutte, mais souvent est un signe qui ne devrait pas nous laisser indifférents car il est révélateur d'un problème au niveau de la rate ou du pancréas.

Eh oui! Toutes ces petites douleurs sont souvent des sonnettes d'alarme qui peuvent nous renseigner sur d'éventuels problèmes organiques. Exemples: si vous avez mal à la tête, je pourrais vous conseiller de disperser un point qui se trouve sur la main entre les os du pouce et de l'index que l'on appelle 4 GI car c'est le 4ème point du méridien gros intestin. Ce point est souvent très efficace pour faire partir un mal de tête. En même temps, il agit très favorablement sur le gros intestin. Nous avons un autre point à la jambe qui peut aussi, dans certains cas, dissiper complètement une céphalée. C'est le 36 E, c'est-à-dire le 36ème point du méridien de l'estomac. Il peut également calmer une brûlure d'estomac et favoriser la digestion. Ne soyons pas étonnés du fait qu'il puisse aussi faire partir une douleur à la tête si celle-ci est provoquée par une mauvaise digestion.

Nous disposons également d'un point sur la jambe qui est capable tout à la fois de faire fonctionner une vésicule biliaire paresseuse et de supprimer une migraine provoquée par le mauvais fonctionnement de celle-ci. On peut donc dire que la stimulation des points énergétiques en supprimant la douleur, s'adresse directement à la cause.

C'est là l'un des très grands intérêts de cette technique.

Par la stimulation des points énergétiques, nous pourrons rétablir notre équilibre énergétique nécessaire au bon fonctionnement de tous nos organes et ainsi être toujours au mieux de notre forme. Nous associerons également l'action bienfaisante des plantes et de leurs huiles essentielles ainsi que l'hygiène alimentaire. Je vous proposerai également, le cas échéant, les produits homéopathiques ou des capsules de plantes entièrement végétales que vous pouvez trouver dans les pharmacies ou les magasins d'aliments naturels.

Un message

Ce livre est un message. Son but est de vous permettre d'obtenir des résultats rapides et évidents pour solutionner vos petits problèmes quotidiens qui gâchent votre vie de tous les jours.

Pendant des années, j'ai souffert de douleurs articulaires rhumatismales. De 13 ans à 30 ans, j'ai été la proie du mal de dos, des angines, des sinusites à répétition, des problèmes cardiaques et de bien d'autres affections qui m'avaient valu d'être classé «service auxiliaire» dans l'armée, exempt de sports et même de marche; je me sentais alors vraiment déficient par rapport aux autres. Mon cousin, un médecin très apprécié faisait de son mieux pour pallier à mes problèmes. Mais ce n'est que le jour où j'ai pris connaissance de mon corps et des merveilleuses possibilités mises à notre disposition par la nature que j'ai pu résoudre vraiment mes problèmes.

Avant, j'étais entre les mains de la maladie. À présent, depuis près de 20 ans, je n'ai pratiquement pas absorbé un seul médicament chimique. J'ai appris à faire avorter une grippe ou une angine en son début, à être calme en toutes circonstances et à ne plus savoir ce qu'est la fatigue malgré 16 heures de travail par jour.

Ce que j'ai appris pendant plus de 20 ans de recherches et qui me permet aujourd'hui d'être en pleine forme, je voudrais vous en faire bénéficier, à mon tour.

Mon message vous invite à être à l'écoute de votre corps et d'utiliser toutes les indications qui émanent de lui pour mettre à profit les techniques de soins naturels qui lui permettront de s'harmoniser avec l'univers et ainsi de rester sain.

L'hygiène alimentaire

Nous sommes le reflet de ce que nous mangeons. Il est évident que notre alimentation influence grandement notre forme physique. Nous devons répondre aux besoins de nos cellules et éviter de les intoxiquer.

Les besoins:

Protides — Ce sont les constituants de toutes cellules vivantes. Le besoin d'une personne de 60 kg est d'environ 60 gr. par jour.

Nous trouvons les protides dans les règnes animal et végétal. Il semblerait que les protéines animales soient plus riches en acides aminés indispensables. Il existe cependant des végétariens qui se portent très bien...

Il faut savoir que les viandes ne sont pas des aliments de choix car en plus des graisses indésirables qu'elles contiennent, elles sont largement pourvues de toxines. Il convient donc d'en manger modérément.

Les oeufs et les fromages apportent également les protéines et par là même les acides aminés indispensables et remplacent très avantageusement la viande.

Les céréales complètes sont également riches en protéines: riz complet, blé complet, sarrasin et surtout le soja.

Les lipides — Ce sont les graisses que l'on trouve également dans les règnes animal et végétal. Les lipides végétaux sont préférables aux lipides animaux car les graisses animales riches en acides gras saturés augmentent la viscosité sanguine génératrice d'artériosclérose. Par contre, les huiles végétales de première pression à froid sont riches en acides linoléiques qui jouent un rôle favorable au niveau du foie et nous évitent l'artériosclérose.

Les glucides — Encore appelés hydrates de carbone, c'est l'élément énergétique idéal. Il convient cependant de faire une différence entre les bons glucides et les glucides malfaisants.

Les bons glucides: ce sont les céréales complètes: pain complet, riz complet, blé complet, orge, sarrasin, millet, les pâtes complètes.

Nous trouvons également des glucides dans les fruits sous forme de fructose, qui sont très convenables pour notre santé, alors qu'il en va tout autrement des céréales trop raffinées qui ont perdu une grande partie de leurs propriétés en perdant leurs vitamines et leurs oligo-éléments favorisant le métabolisme.

Ceux-ci seront des pourvoyeurs de surcharge pondérale, mais plus encore, nous devons condamner le sucre blanc qui, lui, est un véritable ennemi. Il favorise l'obésité, la cellulite, les caries dentaires, l'arthrose, l'ulcère d'estomac, les bal-

lonnements car il est fermentissible et ~.
c'est un véritable inhibiteur digestif. Nous devons
donc l'éviter sous toutes ses formes, que ce soit le
morceau de sucre, les confitures, ou les pâtisseries trop sucrées. Nous devons progressivement
nous accoutumer à une alimentation dépourvue de
saccharose, c'est-à-dire de sucre blanc, car les aliments sont en fait déjà sucrés naturellement et le
sucre des aliments est largement suffisant pour
nous apporter les glucides dont nous avons
besoin.

Les céréales

Orge, avoine, seigle, maïs, riz, sarrasin, millet, blé.

Les céréales contiennent des glucides facilement assimilables, des protéines, des oligo-éléments, des minéraux organiques, et de nombreuses vitamines, surtout celles du groupe B.

Donnez-nous notre pain quotidien.

La prière subsiste, mais le pain n'est plus du tout ce qu'il était, et c'est bien dommage. Car le pain complet, réalisé avec une farine fraîchement moulue, par un moulin à meule de pierre, reste un aliment idéal, très digeste, riche en substances vitales, non seulement il nourrit l'homme à moindre frais, mais de plus il favorise le transit intestinal et permet d'éviter la constipation.

Il faut savoir que la plupart des acides aminés, des oligo-éléments et des vitamines de la graine se trouvent dans la coque, plus précisément dans la couche aleurone aussi appelée assise protéique. C'est une espèce de peau se situant entre la couche de protection qu'est le son, et la partie la plus volumineuse mais la moins riche; l'amidon. Malheureusement, les farines ordinaires sont à présent obtenues à partir de l'amidon. Il est donc préférable de consommer des produits obtenus avec des farines complètes. Mais il faut également savoir que les substances précieuses contenues dans les céréales complètes s'altèrent au contact de l'air, une fois la graine écrasée. Autrement dit: pour profiter pleinement des principes essentiels des graines, il faudrait pouvoir les consommer peu de temps après que celles-ci aient été moulues.

Des expériences faites sur des animaux ont permis de constater que ceux-ci se développaient bien mieux avec des graines complètes ou fraîchement moulues qu'avec de la vieille farine.

De nombreux docteurs allemands et suisses ont signalé, l'intérêt de moudre soi-même les céréales, notamment le blé, juste avant de s'en servir pour profiter pleinement de toutes les substances vitales. Ainsi trouve-t-on dans ces pays et maintenant en France et au Canada des moulins domestiques manuels ou électriques qui permettent de réaliser soi-même son petit déjeuner avec des céréales complètes, fraîchement moulues, mélangées à des fruits et éventuellement à du yaourt... Mais également d'avoir de la farine pour faire ses pâtisseries, ses pâtes, son pain. C'est un bon moyen de bien se nourrir.

L'eau

L'eau peut être considérée comme l'élément le plus vital pour l'homme.

En effet le corps humain est composé à plus de 70% d'eau.

Non seulement l'eau est la composante majeure des cellules (50 à 80% suivant le type de cellule).

Mais nos cellules baignent dans l'eau intersticielle; c'est là qu'elles puisent leurs nutriments. Le docteur Alexis Carel, Prix Nobel de médecine, est formel quand il dit en conclusion de ses travaux sur la cellule: «la vie de la cellule est conditionnée par la qualité du liquide physiologique dans lequel baignent nos cellules.»

Une bonne eau devrait être pure avec un Ph 7 contenant le moins possible de matière minérale ce qui lui conférerait un haut potentiel de résistance nécessaire au maintien de notre énergie vitale. Malheureusement les eaux actuelles sont loin de correspondre à ces critères.

Il est cependant une eau à laquelle on ne pense pas assez, c'est celle contenue dans les fruits et les légumes, il s'agit là d'une eau vivante qui nous permet dans une certaine mesure d'apporter à notre organisme cette substance incomparable qu'est l'eau pure.

Les eaux de table conseillées:
MONT ROUCOUS
CHARIER
VOLVIC

Les vitamines

Nous savons tous qu'elles jouent un rôle important pour le maintien de notre santé. Elles sont absolument indispensables. Malheureusement, notre alimentation actuelle trop raffinée produit des carences de certaines vitamines notamment *les vitamines du groupe B* qui sont contenues dans les céréales complètes et dont nous ne faisons plus assez usage... Nous pouvons les trouver dans le germe de blé, la levure de bière, le pollen, la gelée royale, le chou cru, les épinards crus, le soja, les oeufs, les légumineuses.

Vitamine A — C'est la vitamine de croissance. C'est également une vitamine anti-infectieuse. De plus elle joue un rôle important au niveau de la peau et des cheveux et surtout de la vision.

C'est une vitamine qui s'oxyde facilement à l'air. C'est pourquoi, on la trouvera largement dans le jus de carottes fraîchement pressé. On la trouve également dans les bleuets, dans l'abricot et dans les salades fraîchement cueillies.

Vitamine D — On la trouve dans les règnes végétal et animal.

Sa carence est encore de nos jours très fréquente. Elle entraîne l'apparition du rachitisme, avec décalcification.

Provenance: Huile de foie de poisson, sardines à l'huile, oeufs, champignons, fromage, beurre.

Les huiles végétales — l'avocat.

À noter, qu'elle est synthétisée au niveau de l'épiderme par l'action des rayons solaires sur le cholestérol.

Vitamine E — (ou tocophérol) — C'est la vitamine de la fécondité. Elle a une action sur le tissu conjonctif et surtout une action anti-oxydante. Découverte relativement récente, elle n'a pas encore livré tous ses secrets.

On le trouve en grande quantité dans l'hypophyse et les surrénales.

Elle facilite l'oxygénation des tissus; elle est donc très utile chez les personnes sujettes à l'angine de poitrine et sensibles au manque d'oxygène.

Elle est également utilisée favorablement dans la maladie de Dupuytren qui se caractérise par une rétraction des tendons, des muscles fléchisseurs des doigts rendant peu à peu impossible l'extension de ceux-ci.

On a également constaté que le manque de vitamines E chez une femme enceinte pouvait provoquer un accouchement prématuré. Il s'agit donc d'une vitamine extrêmement importante dont nous avons un besoin absolu. Nous la trouverons essentiellement dans l'huile de germe de blé, dans la levure; en plus petites quantités: dans les amandes, le pain complet, les salades vertes, la gelée royale, le pollen, le foie.

Vitamine F — On la trouve dans les acides gras polyinsaturés. Elles règlent la perméabilité des membranes cellulaires.

Une déficience en vitamine E se traduit par une augmentation de la soif, par une sécheresse de la peau, une tendance aux allergies et à l'artériosclérose. Nous la trouverons essentiellement dans les huiles vierges première pression à froid, dans les oléagineux: olives, noix, noisettes, dans les amandes, le germe de blé, le soja et le sésame.

Vitamine C — Sa carence provoque le scorbut connu depuis l'Antiquité. Il faut savoir que la vitamine C peut tuer le bacille Koch et qu'elle atténue l'action nocive du virus de l'herpès chez le lapin. Elle atténue l'effet toxique des sulfamides. C'est également une vitamine indispensable au niveau de la croissance. Elle permet de lutter contre la fatigue.

Son besoin est accru en cas de maladie.

On la trouve dans le chou cru, les agrumes, les groseilles, les fraises, les tomates, les poivreaux, les épinards, toutes les baies sauvages, le kiwi, le cynorrhodon, l'arbousier, la cerise et plus particulièrement une petite cerise nommée «Aceirolla».

Vitamine K — La vitamine K participe à la formation de la prothrombine qui assure la coagulation normale du sang. Sa carence est génératrice d'hémorragies. Cette vitamine s'altère à la lumière; notre besoin quotidien est de 4 mg. Nous la trouvons dans les légumes verts: épinard, chou, haricot, salade, dans les huiles végétales, les pommes de terre, les tomates, le foie des animaux, les fraises, la luzerne, certains poissons.

Mais en grande partie elle est fabriquée au niveau de notre gros intestin d'où l'intérêt à éviter les diarrhées chroniques qui pourraient favoriser la carence en vitamine K.

À noter qu'un traitement prolongé aux sulfamides et aux antibiotiques peut déséquilibrer notre flore intestinale pouvant altérer la fabrication de vitamine K à ce niveau.

Les minéraux et oligo-éléments

Comme les vitamines, les minéraux et oligo-éléments sont indispensables aux phénomènes vitaux. Ils jouent le rôle de catalyseurs et de régulateurs des phénomènes biologiques. Aucune vie n'est possible sans eux...

Le fer — C'est le constituant de l'hémoglobine sanguine qui aura pour rôle de transporter l'oxygène à nos cellules. Le corps en contient environ 4 à 5 gr.

Un manque de fer produit l'anémie et une baisse de vitalité favorisant le vieillissement.

Des règles trop abondantes, des diarrhées fréquentes, ou l'abus d'aspirines peuvent provoquer une carence en fer.

Où trouver le fer? Dans les lentilles, les céréales complètes, les épinards, le persil, les poireaux, le chou, les carottes, les cerises, les asperges, le foie, les rognons.

L'iode — Sa carence provoque le goitre. L'iode est indispensable au bon fonctionnement de la glande thyroïde qui influe sur l'ensemble du système endocrinien.

On trouve l'iode surtout dans les algues marines, le poisson, les coquillages, le sel non raffiné; en plus petites quantités: dans le chou, les oignons, les champignons, les pois, les navets, les épinards.

Le cuivre — Il joue un rôle important pour la défense de l'organisme. Il est indispensable à l'activité de la vitamine C dont il facilite l'oxydation. Il joue un rôle au niveau de l'élastine et du collagène.

Où trouver le cuivre? Dans les germes de céréales complètes, les légumes verts, les fruits secs, les noix, le foie, les poissons, les champignons.

Le manganèse — Permet de lutter contre l'allergie et la stérilité. Notre besoin est de 5 mg. par jour.

On le trouve dans les champignons, les céréales complètes, le cassis, les légumes verts, les fruits frais, les noix, les amandes.

Le magnésium — Indispensable pour notre système nerveux, pour le métabolisme de notre calcium. Sa carence favorise la spasmophilie... si fréquente de nos jours.

On le trouve dans le germe de blé, les céréales complètes, les amandes, noisettes, noix, figues, châtaignes, céleri, carottes, framboises, pollen, poissons.

Il existe encore bien d'autres oligo-éléments comme le zinc, le cobalt, le sélénium.

Le meilleur moyen pour éviter les carences en oligo-éléments et vitamines consiste à avoir une nourriture équilibrée variée et la plus biologique possible.

Il faut savoir que certaines substances peuvent contribuer à leur destruction. C'est le cas du tabac, de l'alcool, du café, des antibiotiques, des sulfamines, des drogues, du vinaigre d'alcool... Il faut savoir également que les vitamines et les oligo-éléments sont fragiles et que la chaleur et la lumière ne leur sont pas favorables... Il sera donc toujours souhaitable de consommer des aliments fraîchement cueillis et non traités aux produits chimiques.

La levure alimentaire

La levure peut être considérée comme un aliment exceptionnel, très riche en protéines contenant tous les acides aminés indispensables, de très nombreux minéraux et oligo-éléments assimilables. De plus elle dispose d'une teneur importante en vitamines, et plus particulièrement forte pour celles du **groupe B**. Il faut savoir que la **B 1** joue un rôle fondamental dans la transformation des sucres, protéines, graisses, qui lui sert à libérer de l'énergie notamment pour notre système nerveux et notre muscle cardiaque. De plus cette vitamine s'oppose à l'accumulation de l'acide lactique, donc aux courbatures. Elle joue un rôle important pour nos nerfs, notre coeur, nos muscles et notre tension artérielle.

La **B 2** complète l'action de la B 1, c'est surtout la vitamine de l'énergie et des crampes musculaires. Elle favorise la croissance et la régénération des tissus; son insuffisance se manifeste entre autres par un affaiblissement général et par des troubles nerveux et digestifs.

La **B 3** favorise également les réactions métaboliques productrices d'énergie. De plus, elle aide à l'oxygénation de nos cellules, et agit sur la vasodilatation des capillaires sanguins. Elle joue donc un rôle vital chez les hypertendus. Elle permet d'éviter l'infarctus du myocarde ou les attaques cérébrales dans le cas d'artériosclérose, dans les problèmes intellectuels et l'état dépressif. C'est donc à plus d'un titre la vitamine indispensable pour retarder la sénescence et être en pleine forme.

La **B 4** joue un rôle sur la qualité et la quantité de nos globules blancs et tous les problèmes qui s'y rattachent: défense de l'organisme devant les attaques microbiennes, surinfections, rhumatismes, et accidents de la formule sanguine suite à la prise de certaines médications: antibiotiques, sulfamides, radio-cobalt, radio-isotopes...

La **B 5** peut être considérée comme la vitamine de la peau, des cheveux et des ongles. Elle favorise la cicatrisation des plaies. Elle est aussi très utile dans le cas de chute des cheveux, qu'elle peut stopper, ou même favoriser, dans certains cas, leur repousse.

La **B 6** est nécessaire au métabolisme des protéines; elle diminue les risque de lithiase rénale et d'artériosclérose, de polynévrite.

La **B 7** est très conseillée contre l'acné, les aphtes, les crampes, l'insomnie, les engelures, la furonculose, l'eczéma et la plupart des dermatoses associées à la B 5.

La **B 8** est aussi une vitamine de la peau et des cheveux; elle permet de stopper la chute des cheveux.

La **B 9** a pour principale propriété d'être anti-anémique.

La **B 10** est conseillée contre l'asthme, l'eczéma, le blanchissement des cheveux, le psoriasis, et surtout la sclérodermie et certains rhumatismes.

La **B 11** agit sur les sécrétions des sucs gastriques et pancréatiques, qu'elle équilibre.

La B 12 est anti-anémique.

Conclusion: les vitamines B joue un rôle très important sur les différents métabolismes, sur nos nerfs, sur la peau, les cheveux, la qualité de notre sang et de notre système circulatoire, tout en favorisant les défenses de l'organisme. Rappelez-vous que c'est aussi la vitamine de l'énergie. La vitamine B est surtout contenue dans la couche aleurone des céréales complètes, que nous ne consommons plus assez, aussi ne soyons pas étonnés, d'être souvent fatigués, sujets aux infections: grippes, rhumes, angines..., aux rhumatismes, à la mauvaise digestion, aux problèmes de cheveux, d'ongles, à la peau trop sèche ou trop grasse, ou aux petits boutons.

Le meileur moyen actuel d'éviter les carences en vitamines B, c'est la prise quotidienne de LEVURE ALIMENTAIRE qui est la substance alimentaire naturelle la plus riche en vitamines B, équilibrée, jouant ainsi une complémentarité dans son rôle respectif, autrement dit l'action d'une vitamine sera d'autant plus évidente si elle n'est pas isolée de son contexte. De plus nous profiterons de l'action synergique du groupe de vitamines B.

En plus de sa richesse exceptionnelle en vitamines B, la levure alimentaire contient les acides aminés indispensables: lysine, isoleucine, cystine,... ainsi que des acides nucléiques, du glutation, de la choline...

La levure alimentaire contient de très nombreux minéraux et oligo-éléments assimilables comme le calcium, le magnésium, le phosphore, le fer, le manganèse, le cuivre...

Pour être toujours en pleine forme, il faut éviter les carences. La levure alimentaire peut grandement nous y aider, à condition de consommer une levure de bonne provenance, parfaitement préparée, exempte de colorant ou autre produit chimique.*

---

* Voilà pourquoi je préconise **LEVUFORME** qui correspond aux normes souhaitées. C'est à mon avis ce qui se fait de mieux comme levure. Sa culture est faite en Scandinavie par un laboratoire très consciencieux qui cultive la levure de bière dans le milieu le plus propice permettant de garantir leur levure comme étant la plus riche en vitamines de toutes les levures déshydratées avec une teneur en thiamine qui s'élève à souvent plus du double de ses concurrents, et très riche en acides nucléiques.

Autre avantage de **LEVUFORME**, sa garantie d'être exempte de produits chimiques, colorants, produits de stérilisation ou de substances nocives.

Comment profiter des bienfaits de LEVUFORME?

Prendre 2 comprimés pendant le repas ou saupoudrer la sur vos salades, céréales, légumes, ou dans le potage. Ne pas la faire cuire, elle perdrait une partie de ses qualités, ce n'est pas le but recherché.

Les plantes au service de la santé

L'usage des plantes et de leurs arômes remonte à la nuit des temps. Des papyrus datant du 24ᵉ siècle avant la naissance de J.-C. nous révèle que les Égyptiens utilisaient les plantes à des fins thérapeutiques. L'une des salles du temple d'Edfou, sur les bords du Nil, fut baptisée «laboratoire»; ses murs recouverts d'hiéroglyphes nous révèlent différentes formules et recettes phyto-aromathérapiques.

De nos jours la PHYTO-AROMATHÉRAPIE retrouve à nouveau sa place.

La phytothérapie

La phytothérapie c'est l'art d'utiliser les plantes à des fins thérapeutiques.

Il y a plusieurs procédés pour bénéficier du principe actif des plantes: l'infusion, la décoction, la macération, la distillation, la poudre de plantes en capsules.

L'infusion

L'infusion consiste à jeter dans l'eau bouillante, des fleurs, des feuilles et à les laisser infuser 15 à 20 minutes. On compte en général une pincée de plantes pour une tasse à thé.

La décoction

Pour la décoction, on se sert des racines, de l'écorce ou des branches d'arbres. On les jette dans l'eau bouillante et au lieu de les retirer du feu comme dans l'infusion, on les laisse sur le feu pendant 10 à 25 minutes.

La macération

On peut faire passer le principe actif de la plante dans le solvant eau; dans ce cas, la conservation du produit sera très limitée. Nous lui préférons l'huile ou l'alcool, ce qui lui assure une plus longue conservation. La macération consiste à laisser les plantes dans l'huile ou l'acool plusieurs jours, le temps qu'il faut au principe actif pour quitter la plante et se dissoudre dans le solvant qui va se colorer. Une exposition au soleil peut hâter le processus.

Les capsules de plantes

C'est le mode pratique d'utilisation d'un mélange de plantes parfaitement dosé pour chaque affection. De plus nous profiterons, de cette façon, de leurs actions synergiques.

Aromathérapie

L'aromathérapie consiste en l'utilisation d'huile essentielles de plantes obtenues par distillation, pour la santé et la beauté.

Pour comprendre l'action des huiles essentielles, il faut savoir que la plante est plus ou moins réceptive aux ondes cosmiques et telluriques qui l'environnent. Suivant la qualité de leur terroir d'origine et de leur environnement, elles nous restitueront leurs radiations bienfaisantes qu'elles captent et emmagasinent. Leurs qualités seront également fonction du mode d'extraction utilisé.

Propriétés des huiles essentielles

Les huiles essentielles sont très antiseptiques, bactéricides, stimulantes et certaines, tonifiantes ou calmantes. Elles peuvent donc jouer un rôle important pour la santé et la beauté.

Mode d'utilisation

Par voie externe: Elles peuvent être employées pures ou diluées dans une solution alcoolique ou huileuse.

Pures, elles peuvent être utilisées en friction ou inhalation. En solution huileuse, elles conviendront parfaitement pour le massage.

Par voie interne: Il s'agit là d'un mode plus délicat, car certaines essences comme le thym sont révulsives et peuvent irriter les muqueuses. Il convient donc d'en faire un usage très modéré; par exemple, une goutte sur la langue toutes les 3 heures. On peut également diluer deux, trois gouttes dans un peu de miel, que l'on fait fondre dans un peu d'eau tiède.

L'homéopathie

L'homéopathie est une méthode thérapeutique qui consiste à donner au sujet atteint d'un symptôme, de petites granules contenant des doses très diluées d'un produit qui, à forte dose, aurait provoqué le même symptôme.

Exemples: Le café à forte dose produit l'insomnie et des palpitations cardiaques. En homéopathie, nous soignerons l'insomnie avec COFFEA mot latin qui veut dire café.

L'homéopathie répond à 3 grandes lois:

LA SIMILITUDE — LA DILUTION — LA DYNAMISATION.

La similitude

À l'exemple de Coffea qui soigne les mêmes symptômes que ceux provoqués par le café, nous pouvons soigner les vomissements avec Ipeca, qui, à forte dose, produit le vomissement. Il y a donc similitude entre le produit homéopathique utilisé pour soigner et ce même produit qui, à dose pondérale, produirait le mal.

La dilution

La médecine homéopathique est une médecine moléculaire que les physiciens modernes comprendront.

La dilution se réalise successivement. En commençant par déposer une goutte de la substance choisie dans 99 gouttes de solvant; on agite le mélange et on en prélève une goutte que l'on dépose à nouveau dans 99 gouttes de solvant, ainsi de suite. Autrement dit, on prépare des dilutions au 1/100 ce qui correspond à 1 CH. Ce qui revient à dire qu'une prescription d'un remède homéopathique à 5 CH aura été dilué 5 fois.

Il apparaît difficilement compréhensible pour un esprit terre à terre qu'une pareille dilution puisse agir mais pourtant cette méthode est très efficace.

La dynamisation

Pour qu'il y ait action thérapeutique, une action physique est indispensable: la dynamisation consiste à secouer mécaniquement de façon énergique le produit entre chaque dilution. Le frottement des molécules du soluté avec celles du solvant est nécessaire. Mais là encore les physiciens en physique nucléaire n'en seront pas étonnés.

On peut donc dire que la médecine homéopathique est une médecine en avance sur son temps. En attendant, les résultats sont là pour prouver son intérêt.

Mode d'utilisation de l'homéopathie

Il suffit de laisser fondre sur la langue les granules. Mais attention ne les touchez pas, posez-les directement sur la langue, car en les touchant vous risqueriez de supprimer leur effet énergétique, qui se réalise au niveau de la langue et de ses capteurs énergétiques que sont les papilles.

Les points énergétiques

La stimulation des points énergétiques une science vieille comme le monde

Depuis que l'homme a ressenti une première douleur, une gêne, une démangeaison, on peut supposer que son premier réflexe a été de frotter la région en cause, pour se soulager.

Des écrits vieux de plusieurs millénaires nous apprennent que l'homme connaissait l'utilisation des points énergétiques.

Ces points peuvent être stimulés avec des aiguilles: c'est l'**acupuncture**. Mais aussi par des massages, c'est la **digito-puncture**.

Le but de ces stimulations est de permettre la répartition harmonieuse de l'énergie qui circule en nous.

Pour mieux comprendre cela, il faut tout d'abord savoir que toute la vie est conditionnée par l'énergie.

Le sang circule dans les vaisseaux sanguins.

L'énergie circule dans les vaisseaux énergétiques: les méridiens.

Ceux-ci sont invisibles, mais peuvent être démontrés électroniquement. C'est le long de ces voies de circulation que se trouvent les points.

Il existe 12 méridiens, comme il existe 12 mois dans l'année. Et environ 365 points. Mais, rassurez-vous, nous n'en utiliserons que quelques-uns parmi ceux-ci.

Les méridiens portent le nom des organes auxquels ils se rapportent. Par exemple, méridien du poumon, du foie, de la rate...

Pour plus de commodité, nous utilisons les abréviations suivantes:

Foie = F. — Poumon = P. — Coeur = C. — Reins = Rn. — Rate = Rt. — Gros intestin = GI. — Intestin grêle = IG. — Estomac = E. — Vésicule bilaire = VB.

MC = Maître du coeur = Orthosympathique.

TR = Triple réchauffeur = Parasympathique.

Le nombre de points sur un méridien est variable: 9 pour le coeur, 67 pour la vessie.

67 V voudra dire 67ième point du méridien de la vessie.

3 F voudra dire troisième point du méridien du foie, etc...

Ces points peuvent avoir une action locale ou une action à distance.

C'est ainsi que le 3 F, qui est sur le pied, a une action bienfaisante sur le foie, tout en étant très éloigné.

Un POINT PEUT AVOIR PLUSIEURS ACTIONS. Exemple: le 4 GI peut effacer une céphalée, un mal de dents, réveiller un évanoui, améliorer l'intestin, avoir une action sur l'acné, le mal de gorge, déboucher le nez... Vous trouverez toutes les explications dans le cours de DIGITO-PUNCTURE.

Comment procéder pour trouver les points énergétiques

Il vous faut en premier lieu trouver le point.

Sachez tout d'abord que celui-ci se trouve toujours dans un petit creux. Regardez son emplacement sur la photo et le dessin, lisez attentivement l'explication sur sa localisation. Il est possible que le point soit sensible, voire même quelquefois douloureux, c'est une raison de plus pour disperser l'énergie qui s'est accumulée à cet endroit-là.

Le but de notre action est de favoriser la circulation énergétique.

Or, si vous avez un problème, c'est que l'énergie est bloquée, ou insuffisante, ou mal répartie à l'endroit même de ce problème.

Si elle est insuffisante, nous **tonifierons**.

Si elle est bloquée, nous **disperserons**.

De toutes façons, si vous vous trompez, vous risquez simplement de ne pas avoir de résultat.

C'est pourquoi, vous obtiendrez les meilleurs effets en tenant compte des indications que vous trouverez dans ce manuel.

Comment procéder
pour stimuler les points énergétiques

La tonification: c'est simple, vous appuyez sur le point avec votre index et vous tournez dans le sens des aiguilles d'une montre, pendant une à deux minutes.

La dispersion: c'est l'inverse, vous tournerez sur le point indiqué dans le sens inverse des aiguilles d'une montre.

Agir des deux côtés, les points sont bilatéraux, sauf pour VC et VG, car ce sont des extras méridiens qui se trouvent sur la ligne centrale du corps devant pour le VC, sur la colonne vertébrale pour VG.

Nombre de séances

Cela dépend de l'affection à soigner.

Pour cesser de fumer, une séance tous les jours sera peut-être nécessaire, ceci jusqu'à l'obtention du résultat; nous pourrons alterner avec des séances pour diminuer l'appétit ou contrer la nervosité.

Pour améliorer la vue, une à deux séances par semaine; pour une sciatique, il est possible que deux ou trois séances suffisent.

En règle générale, faites seulement une séance par jour et, dès que votre problème a cessé, arrêtez-vous.

Si vous avez plusieurs traitements à envisager, commencez par le plus important.

L'électronique au service de la santé

La stimulation des points énergétiques peut être obtenue d'une façon encore plus efficace avec l'aide d'un appareil électronique: LE PUNC-TEUR ÉLECTRONIQUE.

Cet appareil détecte très précisément le point, puis aussitôt pourra le stimuler soit en tonification, soit en dispersion, ou en simple stimulation.

C'est le dernier-né de l'électronique, spécialement conçu pour faciliter la recherche du point et sa stimulation immédiate en quelques secondes. Son emploi est d'une très grande simplicité.

Il suffit de promener sa pointe chercheuse sur la région où se trouve le point indiqué par le dessin, un signal sonore et lumineux indiquera alors l'emplacement très précis de ce point. Il suffit ensuite d'appuyer sur le petit bouton-poussoir qui se trouve sous votre index pour envoyer une petite stimulation électronique pendant quinze secondes seulement. Le signal sonore et lumineux vous indiquera cette fois que vous êtes en stimulation.

Grâce à cet appareil le travail est alors facilité et les résultats apparaissent plus rapidement.

Ce nouvel appareil permet la recherche aussi bien sur les peaux sèches, humides que normales, grâce à un sélecteur de détection.

Il ne comporte aucun risque puisqu'il fonctionne avec une pile de 9 volts que l'on trouve facilement sur le marché. Sa consommation est très faible, une pile pouvant durer plus d'une année.

Très maniable, à peine plus long qu'un crayon, il pèse moins de 300 grammes et ne comporte aucun fil extérieur.

Applications

VAINCRE LA FATIGUE

Qui, de nos jours, n'a pas à se plaindre, de temps à autre, d'être fatigué? Mais quand la fatigue s'installe d'une façon plus ou moins permanente, il faut absolument la vaincre au plus tôt, car autant la fatigue est normale après un effort, autant elle devient inquiétante si elle subsiste sans raison.

Il y a ceux qui sont fatigués pour un oui et pour un non et ceux dont on dit, avec envie, qu'ils sont infatigables!

Si vous voulez faire partie de ces derniers, alors DYNAMISER VOTRE ÉNERGIE.

Voilà le programme: *Premier jour*

Le matin au réveil: Si le coeur vous en dit, commencez par faire quelques bonnes respirations puis buvez un ou un demi – verre d'eau de source avec 3 capsules d'un complexe de plantes tonifiantes: Éleuthérococcus, ginseng, berce, prêle, gingembre, thym, sarriette, romarin, associés au germe de blé, à la super levure, au pollen et aux algues.

Le mélange judicieux et parfaitement dosé de ce merveilleux complexe de plantes et super aliment contenu dans **TONIFORME** vous apportera dès le début de la journée les éléments indispensables à votre équilibre énergétique.

Le mélange contient un nombre impressionnant de vitamines, oligo-éléments, sels minéraux, acides aminés. Vous pourrez ainsi combler en premier lieu vos carences, ce qui est indispensable pour lutter contre la fatigue.

47

PRENEZ À PRÉSENT 3 MINUTES POUR TONI-FIER CES TROIS POINTS ÉNERGÉTIQUES:

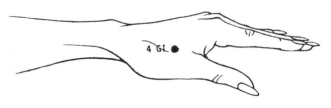

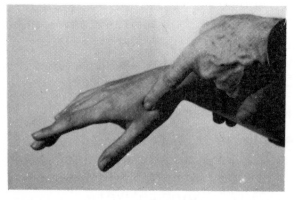

Tonifier tout d'abord pendant une minute le 4 GI. Vous trouverez facilement ce point; comme vous le montre le dessin et la photo, le 4 GI est sur la main dans cette masse musculaire qui se trouve entre les 2 métacarpiens (os du pouce et de l'index) au sommet de l'angle qu'ils forment quand ils sont écartés.

Le deuxième point à tonifier est le 36 E, c'est-à-dire le trente sixième point du méridien de l'estomac. Son nom chinois se traduit par «point de la douce sérénité», nous autres, plus terre à terre, dirons qu'il nous permet d'être bien dans notre assiette, autrement dit, ce point nous apporte une forme sereine.

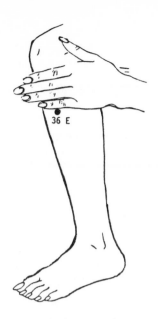
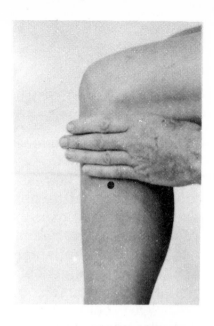

Il se trouve à la face externe de la jambe à 4 travers de doigts au-dessous du genou dans le sillon intermusculaire, un petit peu en arrière de l'arête de l'os du tibia.

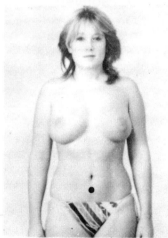
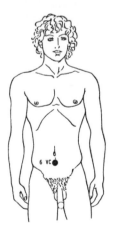

Le troisième point se trouve sur le bas-ventre à deux travers de doigts juste en dessous du nombril. C'est le 6 VC c'est-à-dire le sixième point du merveilleux vaisseau-conception; son nom chinois se traduit par «maître de l'énergie», c'est tout dire.

AVERTISSEMENT POUR LA RECHERCHE DES POINTS:

Il est possible que la première fois vous tâtonniez un peu pour trouver le point, nous sommes tous passés par là, rassurez-vous, dans quelques jours vous connaîtrez ces points par coeur; instinctivement votre doigt se logera dans le petit creux et vous sentirez vous même l'emplacement vous donnant le plus de satisfaction, car les effets se font sentir immédiatement et vous en comprendrez très vite l'intérêt. Si vous disposez d'un PUNCTEUR ÉLECTRONIQUE, celui-ci vous indiquera très précisément l'emplacement du point et simultanément, il vous permettra soit de le tonifier, soit de le disperser suivant le besoin, grâce à sa tête chercheuse et à son système de stimulation électronique très perfectionnée. Les résultats sont alors souvent spectaculaires dès la première séance.

Juste avant le repas de midi prenez encore 3 capsules du complexe de plantes tonifiantes*.

Ayez une alimentation saine et équilibrée: en apéritif, un verre de jus de carotte ou de betterave rouge vous apportera des substances bienfaisantes; ensuite, évitez de trop boire pendant votre repas car cela dissout les sucs digestifs et rend la digestion moins efficace: mangez souvent des salades, si possible à chaque repas. Les légumes cuits à l'étouffée vous restitueront plus fidèlement leurs vitamines et sels minéraux, les céréales complètes, le pain complet sont également des aliments profitables pour votre santé. Éviter les fritures, et surtout les conserves dont les éléments vitaux sont bien amoindris.

Le germe de blé, la super levure sont très conseillés, il vous suffit de les saupoudrer sur vos salades, légumes ou céréales.

N'abusez pas de viande mais le poisson, les crustacés, le fromage, les oeufs, le yogourt non sucré peuvent être consommés en quantité raisonnable.

Les fruits et surtout les pommes sont excellents mais se digèrent toujours mieux en dehors de l'ingestion d'autres aliments.

Après le repas, pour bien digérer, vous pouvez boire une infusion de plantes soit à la menthe, soit à la verveine, soit à l'anis vert, soit au romarin, soit au thym. En plus de vous aider à digérer, ces infusions sont légèrement stimulantes.

---

* **TONIFORME**: nom commercial des capsules de plantes tonifiantes.

Si vous n'avez pas la possibilité de prendre ce thé de plante, vous avez alors une autre possibilité pratique de faciliter votre digestion en prenant 2 ou 3 capsules digestives.*

Un bon conseil MÂCHEZ BIEN VOS ALIMENTS, ILS SE DIGÈRERONT MIEUX ET VOUS CAPTEREZ MIEUX LEUR ÉNERGIE.

Votre repas du soir devra être plus léger et pris suffisamment tôt pour ne pas gêner votre sommeil.

Avant de vous coucher une infusion d'oranger, d'aubépine, peut vous faciliter le passage dans les bras de Morphée pour une nuit réparatrice nécessaire à une parfaite récupération.

Là encore, si vous préférez, pour plus de commodité, prendre 3 capsules du complexe de plantes relaxantes** à base de passiflore, valériane, oranger et coquelicot.

Il ne me reste qu'à vous souhaiter bonne nuit et à demain pour la suite de notre programme anti-fatigue!

---

* **DIGESTONIQUE**: nom commercial des capsules aidant à la digestion.

** **DORMATIVE**: nom commercial des capsules de plantes relaxantes.

Programme anti-fatigue

Deuxième jour:

Commencez cette deuxième journée de remise en forme par quelques bonnes respirations. Assurez-vous que vous êtes sur la bonne voie, que votre santé c'est votre affaire, c'est avant tout à vous, qu'il appartient de décider et de faire le nécessaire pour être toujours en forme. Ayez toujours un état d'esprit positif, vous influencerez positivement votre journée. Prenez 3 capsules avec un ou un demi-verre d'eau de source: Mont Roucous, Volvic, Evian, Charier.

Si vous êtes prêt à faire quelques exercices c'est le bon moment!

Les points anti-fatigue du *deuxième jour:*

Prenez trois minutes de votre temps pour stimuler ces trois nouveaux points:

3 Rn, puis 7 Rn (mais si vous êtes à l'été, c'est inutile de faire le 7 Rn car ce point est inefficace à ce moment de l'année, alors qu'il est au maximum de son potentiel en hiver); c'est pourquoi vous commencerez avec le 3 Rn qui est très facile à trouver puisque situé juste dans le creux derrière l'os de la cheville: il tonifie l'énergie des reins et des capsules surrénales qui sont juste au-dessus des reins et qui font partie du système de défense de notre organisme qui s'avère souvent être déficient dans le cas de fatigue chronique.

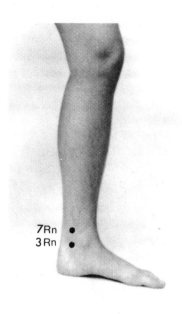

7Rn
3Rn

7 Rn: Face interne de la jambe, à 2 travers de doigts au-dessus de la malléole interne (os de la cheville)

3 Rn: Vous le trouverez facilement puisqu'il est juste derrière la malléole interne, dans le creux.

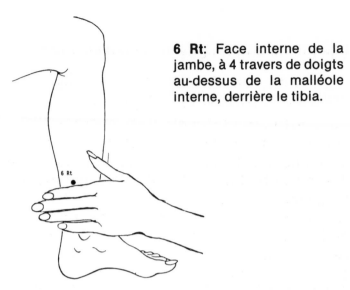

6 Rt: Face interne de la jambe, à 4 travers de doigts au-dessus de la malléole interne, derrière le tibia.

Terminez votre stimulation des points énergétiques par le 6 Rt, c'est-à-dire le sixième point du méridien de la rate, cette glande productrice de lymphocytes et de monocytes, constitue en outre un réservoir de globules rouges, mais ne limite pas là son rôle, elle élimine les microbes, les corps étrangers, les globules vieillis et par conséquent hâte au renouvellement d'un sang neuf. Il vous appartient donc de stimuler ses fonctions en stimulant le 6 Rt considéré comme le point maître du sang... Ne vous étonnez pas s'il est sensible, c'est le signal qu'il attendait pour que vous vous en occupiez. Ne vous étonnez pas non plus s'il améliore vos menstruations, Mesdames, car c'est aussi le point des règles sans problèmes. Avouez qu'il mérite bien qu'on lui accorde une ou deux minutes de temps à autre.

Beaucoup d'entre vous se sentiront déjà mieux après la stimulation de ces 3 points. Pour le reste de la journée, tenez compte des conseils d'hier.

Les points anti-fatigue du *troisième jour:*

Vous êtes sur la bonne voie, continuez! Prenez avant chaque repas votre capsule de plantes tonifiantes, respectez toujours les conseils alimentaires et faites de bonnes respirations à l'air pur si possible.

Voici les points que vous allez tonifier aujourd'hui: 9 P, 9 C, 3 IG.

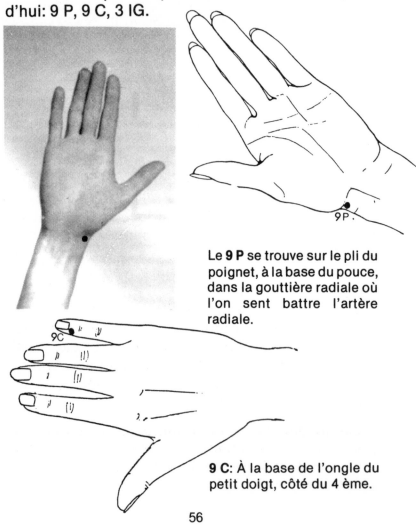

Le **9 P** se trouve sur le pli du poignet, à la base du pouce, dans la gouttière radiale où l'on sent battre l'artère radiale.

9 C: À la base de l'ongle du petit doigt, côté du 4 ème.

56

Le 9 P stimule l'oxygénation de nos cellules, c'est le point de tonification de notre énergie respiratoire, son maximum d'efficacité se situe en automne.

Il peut également vous aider à faire remonter votre tension si celle-ci est trop basse.

Le 9 C est le point de tonification du coeur, mais aussi de notre psychisme, il est donc très utile si l'on n'a pas suffisamment le moral.

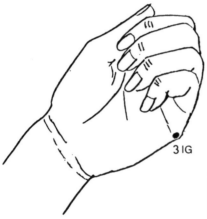

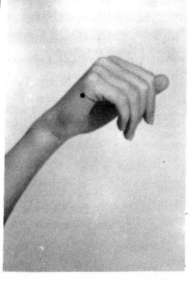

3 IG: Bord interne de la main, contre la butée osseuse de l'articulation du petit doigt, au niveau du pli de flexion.

Quant au 3 IG, il tonifie l'énergie de l'intestin grêle qui est chargé de terminer la digestion et de restituer les nutriments à nos cellules par l'intermédiaire du sang; voilà pourquoi la stimulation de ce point nous aide à mieux récupérer.

Puis, continuez votre journée suivant les conseils des deux journées précédentes. Vous aborderez votre quatrième journée de remise en forme par le programme de la première journée et ainsi de suite.

Dès à présent, vous devez vous sentir plus en forme, continuez sur la route du succès mais attention à vos ennemis: alcool, tabac, café, sucre, conserves. Ils ont autant d'effet sur votre forme que les coups de bâton sur un cheval fatigué pour l'obliger à finir de grimper la côte. Non seulement leur efficacité n'est qu'illusoire, mais leur action finale est nuisible.

Profitez au contraire du bienfait de la super levure, du germe de blé, du pollen, de la vitamine C, faites une cure de véritable gelée royale au début de chaque saison.

Avec une alimentation saine et la stimulation des points énergétiques, vous vivrez mieux. C'est ce que je vous souhaite.

INSOMNIE

Le sommeil est une nécessité physiologique. Aussi est-il de la plus grande importance de retrouver un sommeil naturel.

1. Le repas du soir doit être léger et ne gêner en rien la digestion; éviter l'alcool, le café.

2. Veillez à ce que votre chambre soit suffisamment ventilée. Nous avons besoin d'oxygène même la nuit.

3. Prendre avant de se coucher une infusion au choix: fleurs d'oranger, aubépine ou coquelicot, ou prenez 3 capsules exclusivement à base de plantes calmantes: passiflore, valériane, oranger, coquelicot.

Les points anti-insomnie:

Dispersez 62 V. Tonifiez 6 Rn. Puis dispersez 6 MC.

62 V: Dans un petit creux sous l'os de la cheville externe.

Le 62 V que l'on appelle malléole externe se trouve à environ un travers de doigt en dessous.

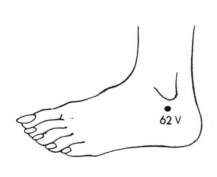

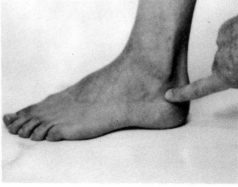

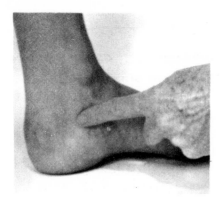

6 Rn: Juste sous l'os de la cheville interne dans un creux.

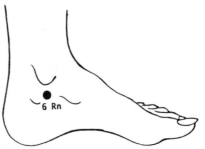

6 Mc: Sur la face antérieure de l'avant-bras, à 3 travers de doigts au-dessus du pli du poignet, entre les deux tendons; c'est au milieu de l'avant-bras.

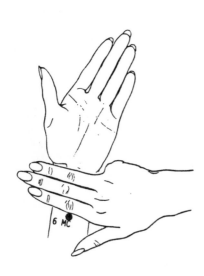

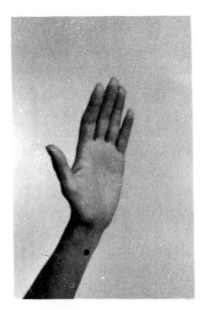

POUR LUTTER CONTRE LE STRESS

Connaître l'art de ne pas subir le stress, est un excellent moyen pour se maintenir en forme. Tout le monde est plus ou moins environné de stress, mais nous pouvons le subir différemment. Pour ne pas en être la victime, il faut élever son seuil d'invulnérabilité; pour cela, il faut apporter à notre corps des substances indispensables à notre système nerveux comme les vitamines B, C, E, le magnésium, le phosphore, le calcium et d'autres oligo-éléments et vitamines que nous trouvons dans le germe de blé, la levure de bière, le pollen, la gelée royale, le ginseng et les complexes de plantes.

Il convient également de ne pas agresser notre système nerveux par des substances qui lui sont nocives comme l'alcool, le tabac, les produits chimiques, les drogues.

Mais notre système de sécurité fonctionne également d'après l'énergie et il faut le régler par la stimulation des points énergétiques; pour ceci, il serait bien de tenir compte d'une technique de réglage particulière à chaque saison. En *hiver et au printemps*, les points conseillés sont: en tonification le 10 Rn, 7 Rn, 3 F, 36 E, 12 VC, 6 Rt.

Je vous rappelle que la tonification se réalise en appuyant sur le point puis en le massant suivant le sens des aiguilles d'une montre.

Aujourd'hui contentez-vous de faire ces trois points: 36 E, 3 F, 12 VC.

Les points anti-stress

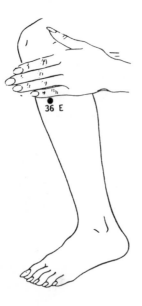

36 E: Face externe de la jambe, à 4 travers de doigts sous l'articulation du genou. On peut le trouver en posant la paume de la main sur le genou; le majeur tombe alors sur le 36 E.

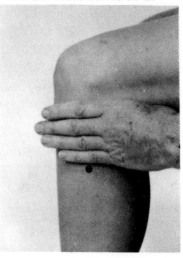

3 F: Au somment de l'angle que forment les deux premiers métatarsiens écartés.

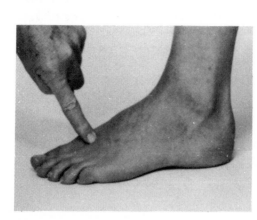

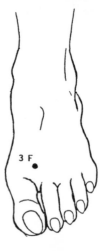

12 VC: Sur le ventre, entre le nombril et l'appendice xyphoïde (os qui termine le sternum), sur la ligne médiane.

Deuxième jour:

Voici vos points anti-stress pour le deuxième jour:
6 Rt, 7 Rn, 10 Rn.

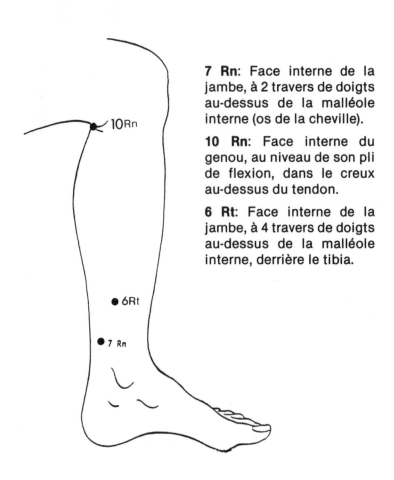

7 Rn: Face interne de la jambe, à 2 travers de doigts au-dessus de la malléole interne (os de la cheville).

10 Rn: Face interne du genou, au niveau de son pli de flexion, dans le creux au-dessus du tendon.

6 Rt: Face interne de la jambe, à 4 travers de doigts au-dessus de la malléole interne, derrière le tibia.

Les points conseillés en été:

Tonifier: 8 C — 3 Rn — 1 F — 12 VC — 3 IG.

Disperser: 36 E — 4 GI — 3 F.

Faites trois points parmi ceux-ci chaque jour ou tous les deux jours.

Exemple: le premier jour 8 C • 3 Rn. • 1 F. • le jour suivant 12 CV • 3 IG • 36 E •; le surlendemain, 4 GI • 3 F • 17 VC

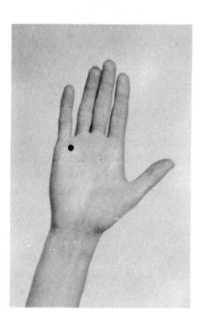

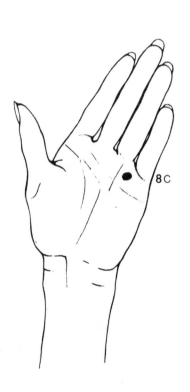

8 C

Le 8 C sera stimulé en été pour favoriser le bon fonctionnement de notre coeur, mais aussi de notre psychisme; il se trouve dans la paume de la main au niveau de l'articulation du petit doigt.

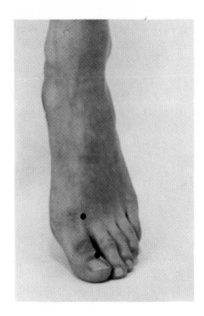

1 F: À la base de l'ongle du gros orteil (côté du deuxième.

3 F: Sur le pied au sommet de l'angle que forment les deux premiers métatarsiens écartés (os), mais contre la base du gros orteil.

12 VC: Sur la ligne médiane, entre l'ombilic et la fin du sternum, que l'on nomme l'appendice xiphoïde.

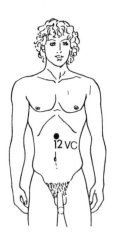

66

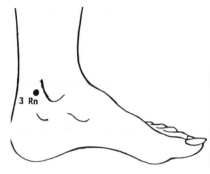

3 Rn: Face interne de la jambe, dans le creux qui se trouve juste derrière la cheville.

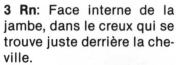
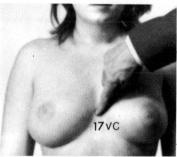

17 VC: Vous le trouverez facilement puisqu'il est sur le sternum entre les mamelons.

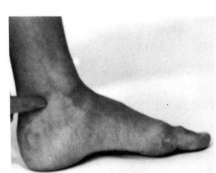

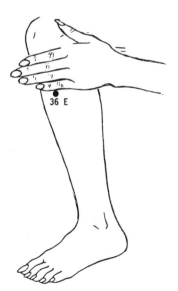

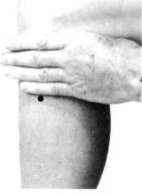

36 E: Face externe de la jambe, à 4 travers de doigts sous l'articulation du genou. On peut le trouver en posant la paume de la main sur le genou, le majeur tombe alors sur le 36 E.

4 GI: Entre les deux méta-carpiens du pouce et de l'index, au sommet de l'angle qu'ils forment quand ces 2 os sont écartés.

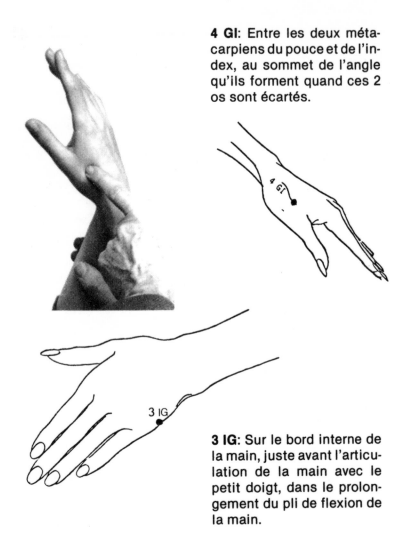

3 IG: Sur le bord interne de la main, juste avant l'articulation de la main avec le petit doigt, dans le prolongement du pli de flexion de la main.

Les points conseillés en automne:

Tonifier: 8 P, 1 GI, 3 Rn, 1 F.

Disperser: 17 VC, 4 GI.

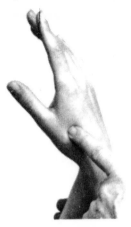

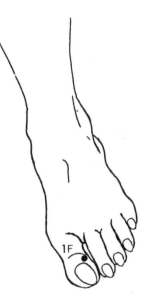

1GI: base de l'ongle de l'index.

4 GI: Dans l'angle que forment les deux os (métacarpiens) du pouce et de l'index quand ils sont écartés.

1 F: À la base de l'ongle du gros orteil (côté du deuxième).

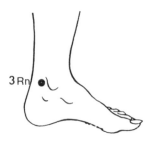

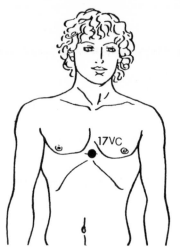

17 VC: Sur la poitrine entre les mamelons, sur le sternum.

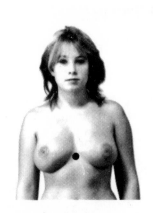

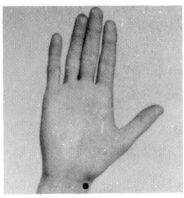

8 P: Près de la main, dans la gouttière radiale où l'on sent battre l'artère, juste à côté de la styloïde radiale (l'os du poignet).

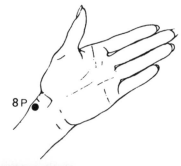

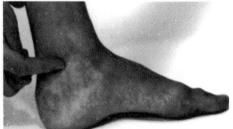

3 Rn: Derrière la malléole interne (os de la cheville), dans le creux.

DYSTONIE NEURO-VÉGÉTATIVE

Les dystonies neuro-végétatives, si fréquentes de nos jours sont le résultat d'un déséquilibre entre notre système nerveux autonome, c'est-à-dire entre l'orthosympathique et le parasympathique.

Si l'orthosympathique est exagéré, il y a orthosympathicotonie. Dans le cas où il s'agit d'une exagération du parasympathique, nous dirons qu'il y a parasympathicotonie.

Dans le premier cas, le rythme cardiaque s'exagère facilement ainsi que la tension artérielle; on dit que le candidat est nerveux, sujet aux palpitations cardiaques. En règle générale, la pupille de l'oeil est dilatée.

Dans le second cas, c'est exactement l'inverse, mais le sujet peut être introverti, anxieux; il sera prédisposé aux transpirations réactionnelles. Il est donc très conseillé de veiller au bon équilibre de ce système fragile et soumis à de rudes perturbations de nos jours. Une alimentation équilibrée, riche en vitamines et en oligo-éléments s'impose. D'autant que les dystonies neuro-végétatives favorisent constipation ou diarrhée, angoisse, vertige, bourdonnement d'oreille, dysfonctionnement glandulaire, bouffées de chaleur, tout autant de problèmes qui peuvent être différents d'un sujet à l'autre.

Hygiène alimentaire

Totalement déconseillés: café, thé, chocolat, alcool, tabac.

Il faut les réduire progressivement pour essayer de les supprimer rapidement.

Les besoins: vitamines B, E, A, calcium, magnésium, phosphore, lécithine, manganèse, cobalt.

Consommer beaucoup de salades; assaisonner avec de l'huile vierge, première pression à froid: chicorée, mâche, laitue, cresson, carottes, chou, betteraves, fenouil, épinard. Faire une large consommation d'aromates: cerfeuil, ciboulette, persil, thym, romarin, serpolet.

Céréales complètes: riz, blé, maïs, sarrasin, orge, flocons d'avoine, couscous, pain complet, pâtes complètes.

Fruits: les fruits sont excellents, mais ils se digèrent mieux consommés seuls, c'est-à-dire entre les repas, ou un repas de fruits.

Viandes: la viande n'est pas le meilleur aliment, car elle contient des toxines qui sont défavorables à nos nerfs ainsi que des graisses déconseillées pour nos artères. Nous devons donc les consommer modérément, et nous donnerons notre préférence à la volaille, au poisson et au mouton.

Fromages: les fromages sont excellents pour la santé. Il ne faut cependant pas exagérer leur consommation car ils contiennent beaucoup de graisses animales. Il convient donc d'en manger modérément.

Les plantes: faire des infusions avec un mélange d'aubépine, chardon marie, ballote, lotier.

Aromathérapie: faire des frictions sur la poitrine avec des essences aromatiques de lavande, ou de verveine des Indes ou d'origan. On peut également utiliser un complexe d'huile essentielle.* On peut aussi prendre, si on est nerveux, 3 comprimés le soir de plantes relaxantes.*

Le yoga, la relaxation sont des techniques conseillées.

Vitaminothérapie: le manque vitaminique se traduira inévitablement par une sensation de fatigue. Mais c'est essentiellement les vitamines B, C et E qui vous permettront de récupérer votre forme. Vous trouverez celles du groupe B dans la levure et le germe de blé, le pollen et la gelée royale. À noter que c'est surtout B 1, B 2 et B 6.

La vitamine E se trouve également dans les substances précitées et surtout l'huile de germe de blé.

Quant à la vitamine C, vous la trouverez dans les agrumes, mais sachez qu'une petite cerise nommée ACEROLA vous la restituera sous un faible volume (en vente dans les magasins de produits naturels).

Complément alimentaire

Prendre régulièrement au moins une fois par jour du germe de blé, ou la fameuse levure alimen-

---

* **CÉDAROMA**: nom commercial du complexe d'huile essentielle.

* **SÉDAPLANTE**: nom commercial du complexe de plantes relaxantes.

taire ou du pollen. On peut également à chaque saison faire une cure de gelée royale...

Une solution commode pour combler vos carences vitaminiques et minérales c'est de prendre 3 capsules à chaque repas d'un composé de plantes tonifiantes.*

Les points pour la dystonie neuro-végétative

Tonifier une fois par semaine: 6 VC — 3 Rn — 3 F

Le 6 VC est considéré comme le point maître de l'énergie, pour le bon équilibre nerveux, un bon tonus énergétique est indispensable.

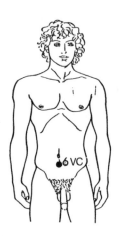

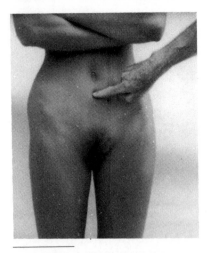

Vous trouverez facilement ce point puisqu'il se situe à deux travers de doigts sous le nombril sur la ligne médiane.

* **TONIFORME**: se compose d'une sélection parmi les meilleurs plantes à action bienfaisante sur notre tonus physique, nerveux et moral. Vous y trouverez également du germe de blé, du pollen, et la fameuse levure **LEVUFORME** qui ne contient aucun produit chimique, aucun colorant; ce produit est naturel, garanti.

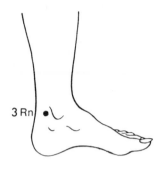

3 Rn: Vous le trouverez facilement, puisqu'il est juste
derrière la malléole interne,
dans le creux.

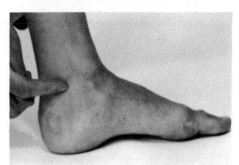

3 F: Au sommet de l'angle
que forment les 2 métatarsiens écartés. (les 2 premiers os du pied).

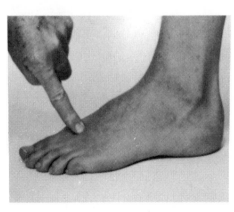

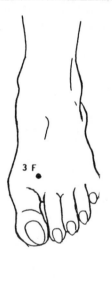

Les points pour la DYSTONIE NEURO-VÉGÉTA-
TIVE

Quelque 2 ou 3 jours après avoir tonifié les
points 6 VC — 3 Rn — 3 F, vous disperserez 6 MC —
36 E — 38 VB puis tonifierez 3 C — 3 IG.

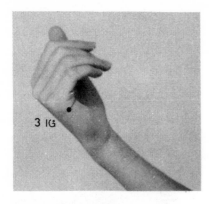

3 IG: Bord interne de la main, juste avant l'articulation métacarpophalangienne du petit doigt, au niveau du pli de flexion de la main.

3 C: Pli de flexion interne du coude contre la jonction des 2 os cubitus et radius.

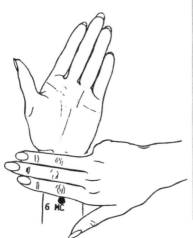

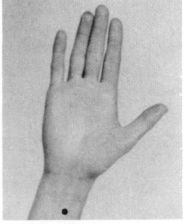

Le **6 MC** est en plein milieu de la face antérieure de l'avant-bras, à 3 travers de doigts du pli de flexion du poignet.

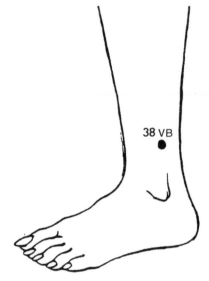

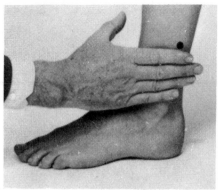

38 VB: À 4 travers de doigts au-dessus de la malléole externe contre l'os péroné.

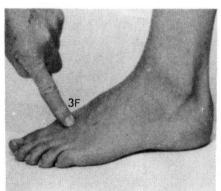

3 F: Au sommet de l'angle que forment les 2 premiers métatarsiens écartés.

ÉVITER LE DIABÈTE

Le diabète résulte d'une déficience fonctionnelle au niveau du pancréas, chargé de fabriquer de l'insuline qui règle le taux de glycogène dans le sang. Celui-ci ne doit pas dépasser 0,90%. Le diabète occasionne la soif et une diurèse plus importante et par la suite des troubles graves au niveau circulatoire.

Le diabète nous guette, sa fréquence augmente d'année en année. La surconsommation du sucre en est la principale cause. Il faut donc en tout premier lieu éviter au maximum le sucre, véritable poison pour l'organisme; il favorise le diabète, la carie dentaire, l'arthrose, les rhumatismes, l'obésité, la cellulite.

Ne craignez pas de supprimer le sucre, nous pouvons très bien vivre sans sucre.

Nos muscles, notre cerveau ont besoin de glycogène qui est fabriqué par le foie à partir essentiellement des glucides que l'on trouve partout dans les fruits, les céréales, les légumes.

Le sucre (saccharose) n'est donc d'aucune utilité; il faut progressivement essayer de se passer de ce condiment, sans pour autant essayer de le remplacer par du miel, ce qui n'améliorerait pas beaucoup la situation.

Personnellement, je suis né dans le sucre, car mes parents étaient pâtissiers-confiseurs. Aussi, j'attribue une grande partie de mes problèmes à la consommation de sucrerie faite dans la première partie de ma vie.

J'ai perdu le goût du sucre. Je n'en éprouve plus aucun besoin, mais plutôt un certain dégoût. Cela m'a demandé un peu de bonne volonté au début pour m'en déshabituer.

J'ai supprimé les morceaux de sucre, la confiture, les pâtisseries trop sucrées, le chocolat, les confiseries, les sirops mais je consomme des fruits et des céréales qui m'apportent des glucides naturels facilement assimilables grâce à leur teneur en vitamine B et oligo-éléments (dont le sucre (saccharose) est absolument dépourvue).

Actuellement, nous nous trouvons en présence d'un nombre important de pré-diabétiques d'où l'intérêt d'échapper à cette drogue qu'est le sucre et tout ce qui est sucré.

Hygiène alimentaire

Les aliments favorables: la courge, le potiron, les carottes, le fenouil, l'artichaut, le céleri, les topinambours, les champignons noirs que l'on appelle trompettes de la mort sont très recommandés, le maïs, le chou cru, la chicorée. Également, le persil, l'ail, l'oignon, ainsi que les amandes, le germe de blé, le pollen, les noix.

Les vitamines: La vitamine B 1 intervient dans le métabolisme des glucides mais elle influence peu la glycémie.

Source: Levure de bière. Blé germé, extraits de malt et en plus petite quantité dans rognons de porc, coeur d'agneau et de mouton, jaune d'oeuf, oranges, lentilles, pois, épinards, choux, châtaignes, carottes, abricots et un peu dans le poisson et la viande.

La vitamine B 1 résiste assez bien à la chaleur, mais elle est sensible à la lumière et à l'humidité. De plus, elle supporte mal l'autoclave, les conserves ne vous apporteront pas suffisamment de vitamine B1. Cependant elle résiste mieux à la congélation.

À noter encore qu'elle est soluble dans l'eau et que, par conséquent, vous la retrouverez plus facilement dans l'eau de cuisson que dans les aliments cuits à l'eau, d'où l'intérêt à boire l'eau de cuisson ou à choisir un autre mode de cuisson.

La solution la plus sûre est de consommer régulièrement de la levure de bière, des céréales germées, du germe de blé, ou du pollen.

Les plantes: faire des infusions de fénugrec, chicorée sauvage, genièvre, romarin, bouleau, sauge, cassis.

Aromathérapie: se frictionner avec du géranium, fenouil, céleri.

Les points énergétiques

Le méridien du pancréas commence au bord interne du gros orteil, puis longe le bord interne du pied.

Il est donc conseillé de masser le bord interne du pied en commençant par la base interne de l'ongle du gros orteil et en se dirigeant jusqu'au milieu du bord interne du pied. Nous passerons ainsi sur le 1er puis les 2e et 3e pour finir au 4ème point du méridien du pancréas. Ces 4 points sont des points de commande importants: le 2 tonifie, le 3 régularise, le 4 est un point clé du métabolisme.

À noter que le méridien gauche agit d'avantage sur le pancréas, le droit sur la circulation sanguine, favorisant la circulation veineuse de retour.

Il faut savoir que les douleurs ou déformations de l'articulation du gros orteil sont significatives d'un problème au niveau de ce méridien.

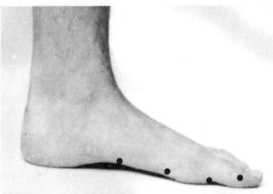

1 Rt: À la base de l'ongle du gros orteil, côté interne.

2 Rt: Bord interne du pied, juste avant l'articulation métatarsophalangienne du gros doigt de pied.

3 Rt: Bord interne du pied, juste après l'articulation du gros orteil.

4 Rt: Bord interne du pied, presque en son milieu, c'est-à-dire à 4 travers de doigts après l'articulation métatarsophalangienne (oignon).

HYPERGLYCÉMIE (Excès de sucre dans le sang)

Une surveillance médicale s'impose. Soulié de Morant propose:

Si le pancréas est insuffisant, on le tonifie par le 2, 3 et 4 Rt. S'il est enflammé, on disperse le 5 Rt et 3 Rt.

Si les surrénales freinent le pancréas, alors on calme les surrénales par la dispersion 14 VG, 15 VG, 20 VB; on tonifie le 10 V.

Le méridien de la rate transporte aussi l'énergie du méridien du pancréas. Le méridien de gauche agirait davantage sur le pancréas et le droit sur la rate (Georges Soulié de Morant). Ce méridien commence au bord interne du pied et passe le long du gros orteil. Il semblerait que les personnes ayant quelques troubles fonctionnels de ces organes seraient plus enclines à avoir une déformation de l'articulation du gros orteil: l'halus valgus, communément appelé l'oignon. C'est, du reste, de part et d'autre de cette articulation que se trouvent les 2 Rt et 3 Rt, points de tonification pour le 2 et de régulation pour le 3.

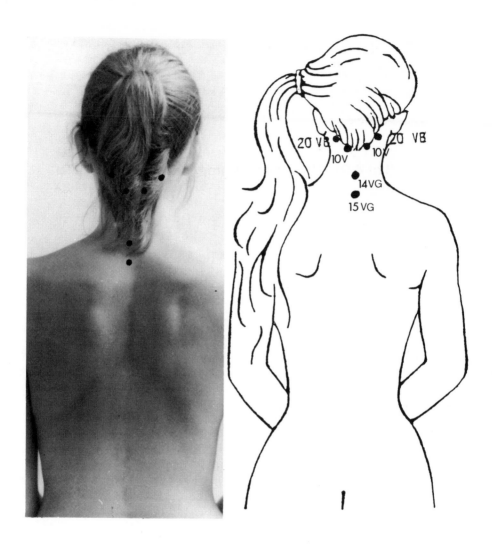

10 V: Derrière la nuque, sous l'os occipital espacé l'un de l'autre d'environ 3 cm.

20 VB: À 6 cm. l'un de l'autre, derrière la nuque.

15 VG: À 2 travers de doigts sous la nuque, sur la ligne médiane.

14 VG: Sous la 7ème vertèbre cervicale, c'est la région un peu accentuée que l'on appelle la bosse de bison.

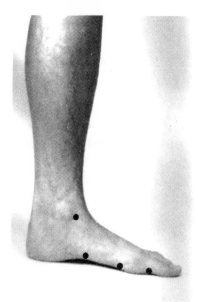

2 Rt: Juste avant «l'oignon», à la limite de la peau dorsale et de la peau plantaire, au bord interne du pied.

3 Rt: Juste après «l'oignon».

4 Rt: Comme les deux points précédents, vous le trouverez à la limite de la peau dorsale et de la peau plantaire, à 3 travers de doigts du 3 Rt, comme le montre le schéma.

5 Rt: Sous et en avant de la malléole interne (os de la cheville) dans le creux que forment les tendons quand on met le pied en dedans.

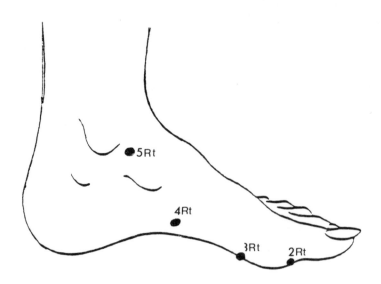

DIGESTION

Pour être en pleine forme une bonne digestion est indispensable.

Nous sommes le reflet de ce que nous digérons!

Le rôle de la digestion est de transformer les aliments que nous ingérons en petites molécules assimilables par nos cellules. Autrement dit, tout ce que nous mangeons va être fragmenté à une dimension microscopique pour que nos cellules puissent à leur tour se nourrir. Dès lors, on comprend l'importance d'une bonne digestion.

Elle va dépendre, d'une part, de ce que nous mangeons, d'autre part, de la qualité de nos sucs digestifs.

La stimulation des points énergétiques peut favoriser le bon fonctionnement de nos différents organes digestifs: estomac, foie, vésicule biliaire, pancréas, intestins.

Nous pourrons également associer à la stimulation des points, l'hygiène alimentaire et les plantes favorisant la digestion.

Si votre digestion est trop lente

Aider votre digestion avec le secours des plantes et la stimulation des points énergétiques.

Les plantes favorisant la digestion sont à prendre en infusion après le repas:

Infusion avec une seule plante: menthe forte ou romarin ou thym ou le calament encore appelé le pouliot de montagne; c'est un excellent tonique et stimulant digestif, d'odeur semblable à la menthe. Les infusions composées en parties égales: absinthe, berce, gentiane, centaurée.

Vous pouvez aussi simplement prendre 3 capsules du composé de plantes sélectionnées.*

Aromathérapie: Mettre une goutte sur la langue après le repas soit d'essence de sarriette, soit de bergamote, soit de menthe.

Hygiène alimentaire:

Éviter les aliments à digestion lente comme les graisses, les mauvaises huiles, les mélanges incompatibles.

Éviter les inhibiteurs digestifs: sucre, sirop, mélange d'alcool, crème...

Buvez le moins possible en mangeant car cela dilue les sucs digestifs.

Mâchez 50 fois au moins chaque bouchée.

---

* **DIGESTONIQUE:** nom commercial du complexe de plantes aidant à la digestion.

Les points à tonifier en hiver pour stimuler votre digestion.

36 E. — 6 Rt. — 12 VC.

12 VC: Sur le ventre, entre le nombril et l'appendice xyphoïde (os qui termine le sternum), sur la ligne médiane.

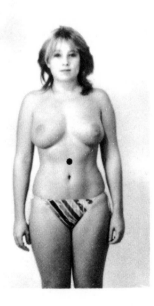

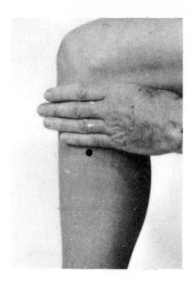

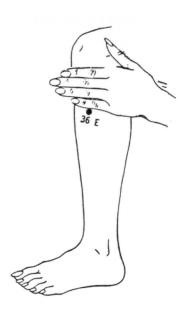

36 E: Il se situe sur la face externe de la jambe, sous le genou, plus exactement à 4 travers de doigts de l'interligne articulaire du genou, derrière l'os du tibia.

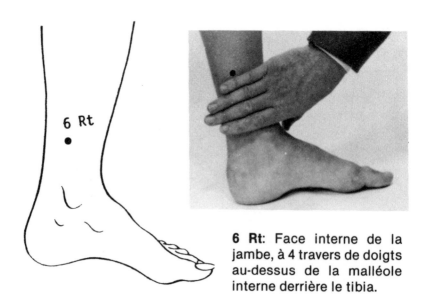

6 Rt: Face interne de la jambe, à 4 travers de doigts au-dessus de la malléole interne derrière le tibia.

En été et en automne:

4 1 E — 1 F. — 1 Rt. — 3 Rt

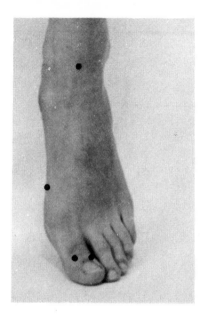

3 Rt: Sur le bord interne du gros doigt de pied, juste après la protubérance osseuse appelée «oignon».

41 E: sur le cou de pied, en plein milieu devant le tibia entre les 2 tendons.

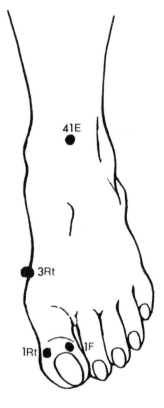

1 Rt: À la base de l'ongle du gros orteil, côté interne.

1 F: À la base de l'ongle du gros orteil, côté externe, c'est-à-dire côté du 2ème doigt de pied.

Si vous avez des brûlures d'estomac ou des crampes

Apprenez à manger calmement, à bien mâcher. Évitez l'alcool, le poivre, la moutarde, le tabac.

Prendre 15 minutes avant le repas, soit un verre de jus de chou, soit ficagème (macérat de bourgeons de figuier).

Disperser: 6 MC — 45 E — 36 E — 12 VC

En automne: remplacer le 36 E par le 44 E.

Les aliments conseillés:

Carotte, pomme de terre, courgette, orge, semoule, potiron, tapioca et surtout pommes cuites sans sucre; les jus de pomme de terre, chou, ou concombre frais apaisent les brûlures d'estomac.

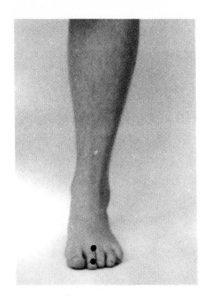

45 E: À l'angle unguéal externe du deuxième orteil.

44 E: Dans le deuxième espace interdigital, à l'articulation de la première phalange du deuxième orteil.

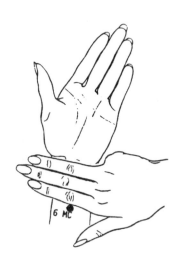

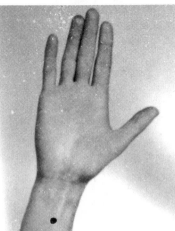

6 MC: À trois petits travers de doigts au-dessus du pli du poignet: sur la partie médiane de l'avant-bras.

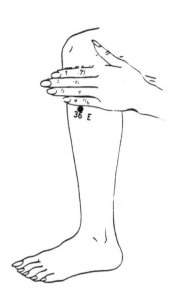

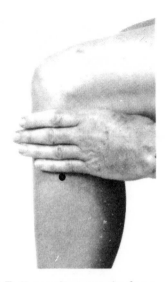

36 E: Il se situe sur la face externe de la jambe, sous le genou, plus exactement à 4 travers de doigts de l'interligne articulaire du genou, derrière l'os du tibia.

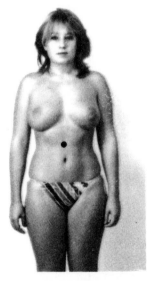

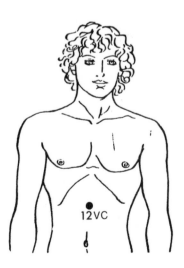

12 VC: Sur le ventre, entre le nombril et l'appendice xyphoïde (os qui termine le sternum), sur la ligne médiane.

93

Indigestion — État nauséeux

Conseils:

Les lendemains de fête sont parfois désagréables, l'excès inhabituel de table, ou le mélange d'alcool, ne passent pas; vous n'êtes pas dans votre assiette, c'est le moins qu'on puisse dire.

Rassurez-vous, ces quelques points vont remettre de l'ordre rapidement, mais n'en prenez pas l'habitude, car leur efficacité s'atténuerait.

Dispersez: 3 F — 14 F — 38 VB — 36 E.

Restez à la diète 24 heures.

Buvez du jus de citron.

Aromathérapie: Une goutte sur la langue d'essence de menthe ou d'anis vert.

Vous pouvez aussi prendre 3 capsules de complexe de plantes améliorant les fonctions hépathiques.*

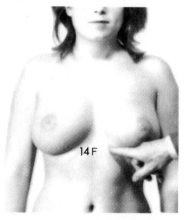

14 F: Sur la poitrine, dans le creux intercostal sous le mamelon. La sensibilité du point vous facilitera sa recherche.

* **HÉPATODRAINOL:** nom commercial des capsules de plantes améliorant les fonctions hépathiques.

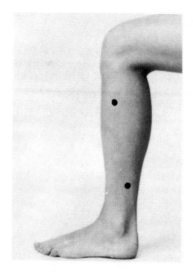

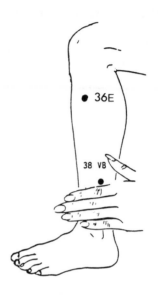

Le **36 E**: se situe sur la face externe de la jambe, sous le genou, plus exactement à 4 travers de doigts de l'interligne articulaire du genou, derrière l'os du tibia.

38 VB: Sur la même ligne que le 34 VB, mais cette fois, à 4 travers de doigts au-dessus de la malléole externe (os de la chevillle).

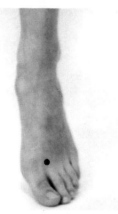

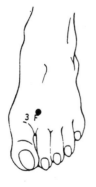

3 F: Il est juste dans l'angle que forment le premier et le deuxième métatarsiens écartés, c'est-à-dire dans le creux que forment le gros orteil et le 2ème doigt écartés, un peu plus haut que l'espace interdigital.

Vous ballonnez, aérophagie

Prendre après le repas soit une infusion d'anis vert, soit 3 capsules de complexe de plantes.

Disperser le 10 TR, le 4 GI, le 12 VC et tonifier le 8 F puis disperser le 9 Rt qui est peut-être le plus efficace.

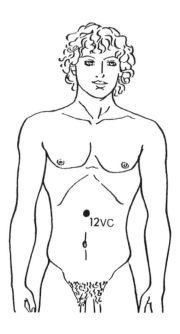

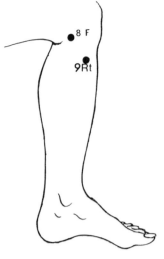

12 VC: Sur le ventre, entre le nombril et l'appendice xyphoïde (os qui termine le sternum), sur la ligne médiane.

8 F: Face interne du pli de flexion du genou, entre les deux tendons.

9 Rt: Face interne du genou, contre l'arête du tibia dans l'angle, juste sous le genou.

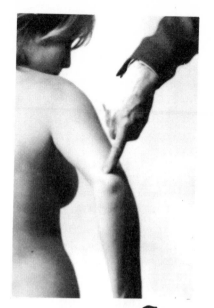

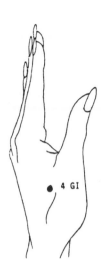

10 TR: Derrière le coude, dans le creux qui se forme quand on fléchit le bras; au-dessus de l'os du coude (olécrâne).

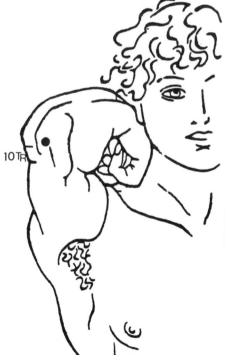

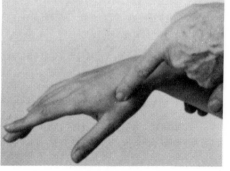

4 GI: Vous le trouverez à la main, plus exactement au sommet de l'angle que forment les 2 métacarpiens écartés, c'est-à-dire les 2 os, l'un du pouce, l'autre de l'index.

97

POUR AMÉLIORER LE FONCTIONNEMENT DU FOIE

Si vous avez la sagesse d'associer l'hygiène alimentaire, les plantes à la stimulation des points énergétiques, vous serez surpris des résultats.

En premier, éviter d'empoisonner votre foie car son travail est très important. Comme je le disais dans mon premier livre «Effacer le ventre», le foie c'est le plus merveilleux laboratoire du monde. Ses fonctions sont multiples et importantes. Il réalise des synthèses très difficiles comme la transformation des glucides et de plus, il est chargé de réparer nos erreurs alimentaires en neutralisant les substances toxiques.

Or, fatigué par un surcroît de travail, si le foie ne peut accomplir parfaitement sa tâche, il s'ensuivra cellulite, obésité ou maigreur, et le pire l'artériosclérose. N'oublions pas que notre foie joue un rôle primordial sur la qualité de notre sang. Voilà de bonnes raisons de veiller à son bon fonctionnement.

Évitons les ennemis du foie: drogue, alcool, tabac, produits chimiques, café, colorants, agents de conservation, pesticides; ajoutez à cela le stress, l'air pollué.

Rassurez-vous, le foie a la vie dure, il ne vous dira rien tout de suite, il lui faudra plusieurs années pour se signaler, à moins qu'héréditairement il ne soit déjà fragile, il se manifestera alors plus précocement.

Il vous appartient de lui faciliter la tâche; épargnez lui ses ennemis et apportez lui de bons amis.

Les bons amis du foie:

Les légumes frais si possible biologiques, les salades, surtout les pissenlits et la mâche, les radis surtout le radis noir, le raifort, les artichauts, les asperges, les aubergines, les carottes, le chou cru, le céleri.

Les céréales complètes: semoule, couscous, riz, maïs, pâtes complètes.

Les fruits le moins traités possible; bleuet, cassis, groseille, fraise, citron, pomme, abricot, pêche, amande, kiwi, prune, raisin.

Les jus de carotte, de betterave rouge, de céleri.

La viande maigre en petite quantité: poulet, lapin, agneau, poisson, oeufs frais, yaourt sans sucre, fromage en petite quantité.

Les plantes amies du foie; boldo, sarriette, cannelle, thym, artichaut, buis, feuille de cassis, racine de pissenlit, livèche, romarin.

Complexe de plantes pour le foie: prendre 3 capsules avant le repas.*

Les vitamines pour le foie: A, B, C, D, E, F, K, I, J.

La vitamine F comme foie, encore appelée acide linoléique, se trouve dans les huiles vierges, première pression à froid, car la vitamine F ne supporte pas les fortes températures.

---

* **HÉPATODRAINOL:** nom commercial du complexe de plantes pour le foie.

Vitamine A: C'est bien connu que la carotte est l'amie du foie.

Vitamine B: surtout B 1, B 2, B 3 et B 12.

Nous les trouverons dans la super levure de bière, le foie, les germes de céréales, les céréales complètes, le pain complet, le jaune d'oeuf.

Vitamine C: Le citron en petite quantité est l'ami du foie, mais vous trouverez la vitamine C dans tous les agrumes, le persil, le cynorrhodon et surtout la petite cerise Aceirola.

Vitamine E: Comme pour la vitamine F, dans les huiles vierges, première pression à froid, et surtout l'huile de germe de blé.

Vitamine K: On la trouve dans les feuilles vertes: la luzerne, le chou, les épinards, les céréales germées, le maïs, le riz complet, le blé complet.

Vitamine I: (ou inositol) c'est la vitamine qui mobilise les graisses; elle protège le foie en évitant sa dégénérescence graisseuse. On la trouve dans la super levure alimentaire, les graines de céréale, les céréales complètes, les épinards crus, le maïs, le soja, les yaourts non sucrés, les haricots verts, le foie, la cervelle.

Vitamine J (ou choline): c'est également une vitamine protectrice du foie, anti-chirotique. On la trouve aussi dans la super levure alimentaire, le foie, la cervelle, le citron, le soja, le germe de blé et la betterave rouge.

Homéopathie

Prendre 3 comprimés 3 fois par jour.

En cas d'insuffisance hépatique: hydrastis composé.

En cas d'insuffisance biliaire: ricinus composé.

En cas d'affection du foie et des voies biliaires: chelidonium composé.

Points:

Voici les points qui vont avoir une incidence bienfaisante sur le fonctionnement du foie et de la vésicule biliaire.

Disperser les 38 VB et 34 VB

Si vos selles sont claires tonifier le 2 et 3 F et insister surtout sur le 3 F; si elles sont foncées, il faut alors disperser ces points c'est-à-dire que vous tournez dans le sens inverse des aiguilles d'une montre.

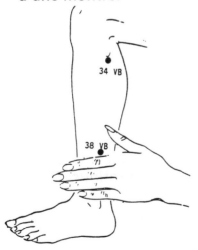

Le **34 VB**: Sur la face externe de la jambe, à 3 travers de doigts sous l'articulation du genou, juste sous la tête du péroné (protubérance osseuse qui apparaît près de la partie postérieure du sommet de la face externe de la jambe).

Le **38 VB**: Sur la même ligne que le 34 VB, mais cette fois, à 4 travers de doigts au-dessus de la malléole externe (os de la cheville).

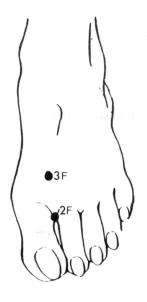

2 F: Entre les deux premiers doigts de pied, dans l'espace inter-digital, mais contre le gros orteil.

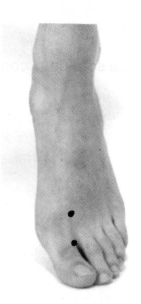

3 F: Plus haut de 3 bons travers de doigts que le 2 F, c'est-à-dire au sommet de l'angle que forment les deux premiers métatarsiens écartés (os), mais contre la base du premier.

CONSTIPATION

Ce fléau de notre civilisation peut se présenter sous plusieurs formes dont les plus courantes sont les constipations atoniques et spasmodiques. Ce sont deux constipations diamétralement opposées.

La constipation atonique est due à une insuffisance du fonctionnement du colon, les selles sont alors rares, de volume normal ou gros alors que la constipation spasmodique (vagotonie) provoque une contracture exagérée du colon, les selles seront donc petites, comme étranglées.

Constipation et hygiène alimentaire

L'alimentation peut jouer un rôle important dans le maintien ou l'élimination de la constipation.

Il faut éviter les aliments constipants:

Le chocolat, le sucre, la viande, les féculents raffinés: pain blanc, riz blanc..., les sirops, les confitures, la gelée de coing.

Il faut consommer des aliments favorisant le transit intestinal et le bon fonctionnement de la vésicule biliaire:

Les céréales complètes: riz complet, pain complet, pâtes complètes; la plupart des légumes et des fruits; les huiles vierges, première pression à froid et plus particulièrement l'huile d'olives.

Les vitamines qui aident à lutter contre la constipation:

Ce sont surtout les vitamines du groupe B que l'on trouve dans la super levure alimentaire, les céréales germées, le germe de blé, le pollen, la gelée royale, les céréales complètes, le pain complet, le jaune d'oeuf, le soja, le foie.

Homéopathie:

Si votre constipation est spasmodique, c'est-à-dire petite, comme étranglée, ressemblant à des crottes de bique, prendre 3 granules 3 à 4 fois par jour de MAGNESIA MURIATICA 5 CH, alterner avec OPIUM 4 CH, faire le choix de ce qui convient le mieux. Si, au contraire, vos selles sont grosses, décolorées, flottantes parce que légères, il vous convient alors de prendre 3 granules 3 fois par jour de CHELIDNIUM MAJUS.

Si vous avez fait un abus de laxatifs, et que ceux-ci ont perdu de leur effet, votre ventre est gonflé, vous êtes barbouillé, surveillez votre alimentation et prenez le temps jusqu'à ce que tout rentre dans l'ordre: 3 granules 3 fois par jour de NUX VOMICA. NUX VOMICA est également indiqué dans le cas où vous auriez de faux besoins.

Les plantes au service des constipés

Il existe de nombreuses plantes laxatives mais il faut se méfier des plantes à action irritante comme le séné, l'aloès, il faut leur préférer des plantes à action douce comme les feuilles de mauve, les feuilles de guimauve, la mercuriale, les racines de chicorée, ou de chiendent, la bourdaine à condition qu'il s'agisse d'écorces séchées depuis au moins 2 à 3 ans...

Ces plantes peuvent être prises séparément ou en mélange, vous choisirez celles qui vous conviennent le mieux. Mais si vous voulez profiter des plantes sous une forme plus pratique, il vous suffit de prendre 3 capsules,* le soir avant de vous coucher, d'un complexe de plantes laxatives à action douce, non irritante, parfaitement dosées pour une bonne action synergique.

La constipation atonique

Vos intestins sont paresseux, ils manquent de tonus, vos selles sont de dimension grosse ou normale, mais pas pressées à venir; si vos muscles sont relâchés, quelques exercices sont à conseiller pour tonifier vos muscles abdominaux, en tout temps, voici les points qui peuvent régler votre problème d'une façon souvent spectaculaire.

Tonifier: 4 GI — 11 GI — 34 VB — 36 E.

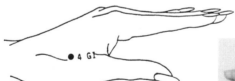

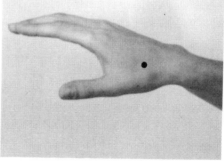

4 GI: Vous le trouverez au sommet de l'angle que forment les 2 métacarpiens (os du pouce et de l'index) écartés, contre la base du métacarpien et de l'index.

---

* **LAXOPLANE:** nom commercial d'un complexe de plantes à action douce purgative.

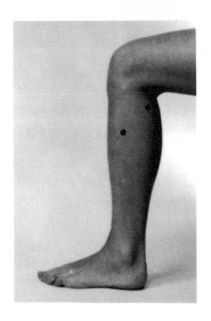

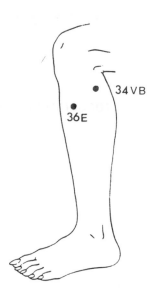

34 VB: Face externe de la jambe, sous le genou, vers le mollet, sous la tête du péroné.

36 E: Face externe de la jambe, à 4 travers de doigts sous l'articulation.

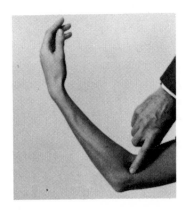

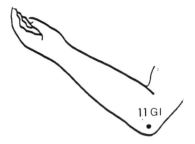

11 GI: À l'extrémité du pli externe du coude côté du pouce) contre les os à l'angle de l'articulation.

Constipation spasmodique

La pratique du yoga et de la relaxation vous est conseillée.

Vos selles sont petites comme étranglées; elles ressemblent, plus ou moins, à des crottes de bique.

Disperser 10 V — 2 GI — 3 GI — 2 et 3 F, puis le 1 GI.

Les plantes à action relaxante: aubépine, à action laxative sont tout indiquées. On peut prendre une capsule du complexe de plantes* et deux de l'autre,* à action relaxante entre les repas, ou le soir avant de se coucher.

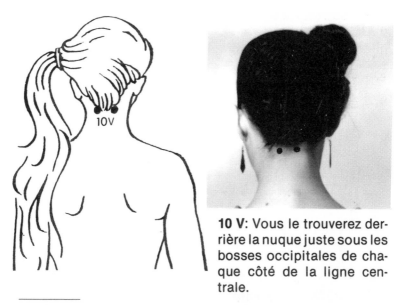

10 V: Vous le trouverez derrière la nuque juste sous les bosses occipitales de chaque côté de la ligne centrale.

* **SÉDPLANTE:** nom commercial d'un complexe de plantes laxatives.

* **LAXAPLANTE:** nom commercial d'un complexe de plantes laxatives.

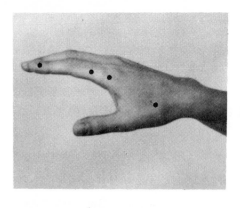

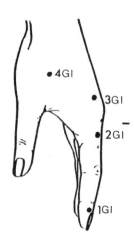

1 GI: Il est juste à l'angle unguéal (racine de l'ongle) de l'index, côté du pouce.

4 GI: Au sommet de l'angle que forment les 2 métacarpiens écartés, c'est-à-dire entre les os du pouce et de l'index, dans le creux, contre la base du matécarpien de l'index.

2 GI: À l'index, juste avant la tubérosité osseuse de l'articulation métacarpo-phalangienne.

3 GI: Sur l'index, juste après l'articulation métacarpophalangienne.

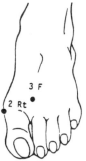

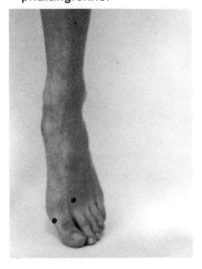

2 F: Interdigitale, entre le gros et le 2ème orteil contre le gros.

3 F: Au sommet de l'angle que forment les 2 métatarsiens écartés.

Colite

Il s'agit souvent d'un spasme du gros intestin qui peut céder par la simple dispersion des 3 points suivants: 9 GI, 9 Rt, 36 E.

Mais n'oubliez pas qu'une appendicite est un cas d'urgence chirurgicale.

Si vous la suspectez, un examen médical rapide s'impose.

Mais si ce n'était qu'un faux signal d'alarme, alors vous serez content de connaître ces points, car ils sont très souvent d'une efficacité étonnante.

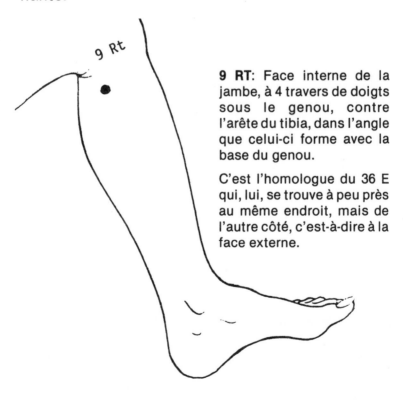

9 RT: Face interne de la jambe, à 4 travers de doigts sous le genou, contre l'arête du tibia, dans l'angle que celui-ci forme avec la base du genou.

C'est l'homologue du 36 E qui, lui, se trouve à peu près au même endroit, mais de l'autre côté, c'est-à-dire à la face externe.

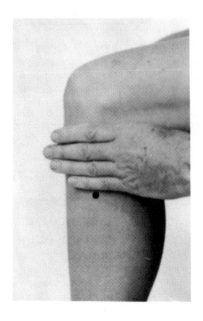

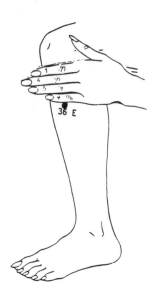

36 E: Face externe de la jambe, à 4 travers de doigts sous l'articulation du genou. On peut le trouver en posant la paume de la main sur le genou; le majeur tombe alors sur le 36 E.

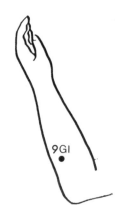

9 GI: Sur l'avant-bras, bord externe (côté pouce), à 4 travers de doigts avant le pli du coude.

Si les crudités vous incommodent, remplacez-les, par un verre de jus de légumes 5 minutes avant le repas.

Les plantes:

Infusion après le repas: menthe, sarriette, aneth, anis vert (au choix). Varier pour éviter l'accoutumance.

Aromathérapie:

Une goutte sur la langue d'huile essentielle de fenouil, d'origan ou de serpolet.

POUR STOPPER LA DIARRHÉE

Il est conseillé de chauffer le nombril en y approchant quelque chose de très chaud sans le brûler: une cigarette, une cuillère trempée dans de l'eau bouillante que l'on approche très près plusieurs fois puis:

Disperser: 4 Rt, 9 GI.

Tonifier: 37 E, 25 E, 7 Rn, 4 GI.

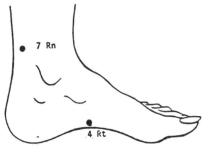

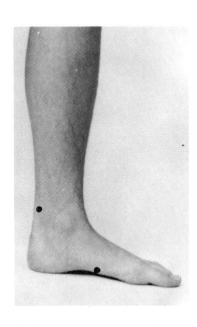

7 Rn: Face interne de la jambe à 2 travers de doigts au-dessus de la malléole interne (os de la cheville).

4 Rt: Sur le bord interne du pied, à mi-hauteur, c'est-à-dire à la limite de la peau dorsale et de la peau plantaire du pied. Sur la base du 1er métatarsien (os du gros orteil), autrement dit, à 3 travers de doigts de l'articulation de la phalange du gros orteil avec le 1er métatarsien que l'on surnomme communément «l'oignon».

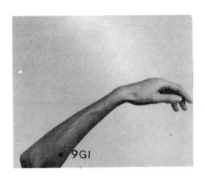

9 GI: Sur le bord externe de l'avant-bras (côté pouce), à 4 travers de doigts avant l'articulation du coude.

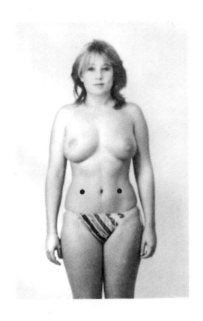

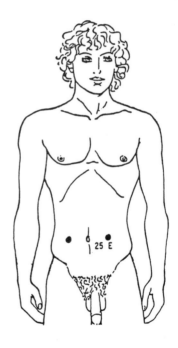

25 E: Sur le ventre, à 3 travers de doigts de chaque côté de l'ombilic.

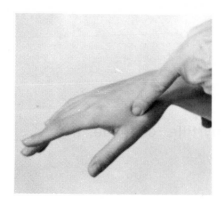

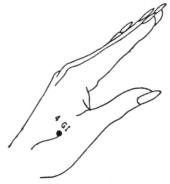

4 GI: Dans l'angle que forment les deux premiers métacarpiens écartés entre pouce et index.

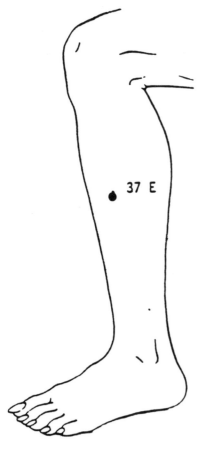

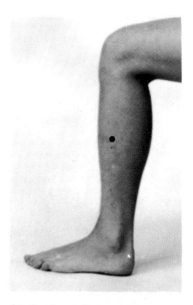

37 E: Vous le trouverez sur la face externe de la jambe aux $^2/_3$ de sa hauteur, à 8 travers de doigts sous le pli du genou.

Conseils:

Boire: jus de myrtille, jus de carotte.

Manger: airelle, carotte râpée, châtaigne, orge, pulpe de caroube.

Infusion: feuille de myrtille, cannelle, thym, sarriette, origan, basilic.

Prendre: 3 capsules 3 fois par jour d'un complexe d'argile, de pollen et de propolis, trois excellents produits naturels aux propriétés antiseptiques, cicatrisantes, favorisant l'équilibre de la flore intestinale.*

---

* **PROPARGILE:** nom commercial donné au complexe de pollen, de propolis et d'argile.

LES MAUX DE TÊTE

Très souvent, un mal de tête provient d'un dysfonctionnement organique ou nerveux... créant une surtension énergétique, qui monte à la partie supérieure du méridien c'est-à-dire à la tête. Cette surtension se traduit par une douleur.

L'emplacement de cette douleur nous indique les points à disperser. Ces points agiront sur l'organe en cause, qui fonctionnera mieux, ou sur les nerfs qu'ils calmeront et ainsi disparaîtra le mal de tête.

La migraine

Explications

La douleur migraineuse se situe d'un seul côté de la tête et plus particulièrement à la région temporale.

C'est justement cet emplacement qu'occupe le méridien de la vésicule biliaire. Ne soyons pas étonnés que cette migraine apparaisse souvent après l'ingestion de chocolat, d'un abus de café, d'un mélange d'alcool, d'un repas lourd à digérer.

Cette migraine peut s'accompagner d'un état nauséeux.

Elle survient plus volontiers avant les règles, car il y a, à ce moment-là, des modifications hormonales qui modifient le comportement de notre système hépato-biliaire.

Les points qui vont effacer la migraine vont commencer par améliorer le fonctionnement du foie et de la vésicule biliaire.

Mais il vous faut éviter le café, le chocolat, les graisses animales, l'alcool. Prendre le matin une infusion de romarin, ou 3 capsules de complexe de plantes.* Le soir 3 capsules de complexe de plantes* qui aide le système hépato-biliaire.

Vous pouvez aussi respirer un complexe aromatique de menthe et de mélisse.*

Disperser: 3 F, 38 VB, 9 Rt, 20 VB

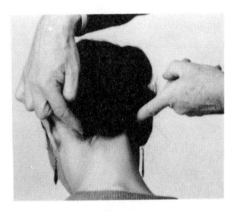 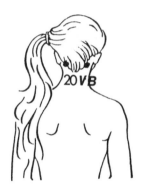

Le **20 VB**: se trouve facilement, sous la bosse que forme l'os occipital à la racine des cheveux à environ 3 cm de droite et gauche du milieu de la nuque. Ce point est souvent sensible.

---

* **VÉSICULEX**: nom commercial donné au complexe de plantes qui aide la vésicule à accomplir son travail.

* **HÉPATODRAINOL**: nom commercial donné au complexe de plantes qui aide le système hépato-biliaire à accomplir son travail.

* **MIGRESSENCE**: nom commercial donné au complexe aromatique (menthe et mélisse).

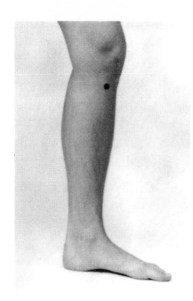

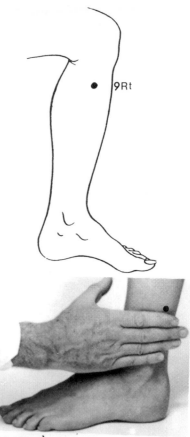

9 Rt: Face interne de la jambe, à l'angle que forment le genou et le tibia.

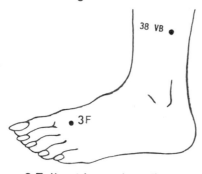

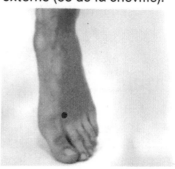

38 VB: À 4 travers de doigts au-dessus de la malléole externe (os de la cheville).

3 F: Il est juste dans l'angle que forment le premier et le deuxième métatarsiens écartés, c'est-à-dire dans le creux que forment le gros orteil et le 2ème doigt écartés, un peu plus haut que l'espace interdigital.

Céphalée frontale (coin interne de l'oeil)

Disperser: 67 V — 1 V — Inn Trang

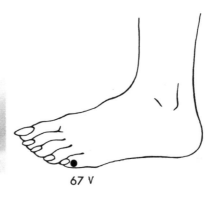

INN TRANG: entre les deux sourcils, c'est en quelque sorte le troisième oeil.

1 V: Vous le trouverez à l'angle interne de l'oeil, juste au-dessus du sac lacrimal.

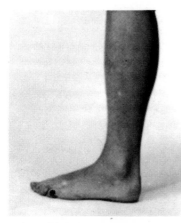

67 V

67 V: à la base de l'ongle du petit doigt de pied, côté externe.

Maux de tête et nervosité

Il suffira peut-être de faire ces points pour que votre mal de tête cède aussitôt. Mais si cela ne suffit pas, vous pouvez compléter l'action des points en vous frictionnant le front avec des huiles essentielles de mélisse ou de marjolaine ou mieux avec le complexe d'huiles essentielles*.

Voici les points à disperser: 6 MC — 36 E — 10 TR — 14 VG.

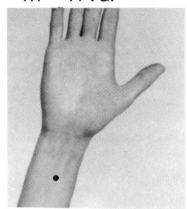

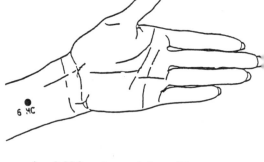

Le **6 MC** est en plein milieu de la face antérieure de l'avant-bras, à 3 travers de doigts du pli de flexion du poignet.

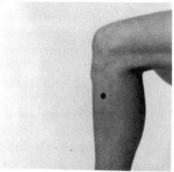

36 E: Il se situe sous le genou, à la face externe de la jambe, à 4 travers de doigts de l'interligne articulaire du genou, derrière le tibia.

---

* **MIGRESSENCE:** nom commercial de ce complexe d'huiles essentielles (menthe et mélisse).

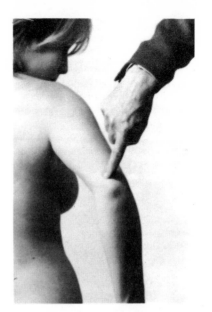

10 TR: Derrière le coude, dans le creux qui se forme quand on fléchit le bras, au-dessus de l'os du coude (olécrâne).

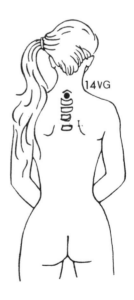

14 VG: Sous la dernière vertèbre cervicale au-dessus de la première dorsale qui est souvent proéminente, la fameuse bosse de bison.

Maux de tête suite à un coup de froid ou un coup de chaud

Disperser: 7 P — 6 Rn — 14 VG — 4 GI — 20 VG.

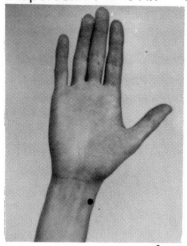

Vous trouverez le 7 P sur l'avant-bras, près du poignet. Dans la gouttière radiale où l'on sent battre l'artère. Dans le creux qui apparaît en pliant le poignet, juste avant la styloïde radiale (os proéminent du poignet).

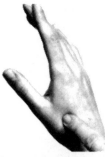

4 GI: Vous le trouverez à la main, plus exactement au sommet de l'angle que forment les 2 métacarpiens écartés, c'est-à-dire les 2 os, l'un du pouce, l'autre de l'index.

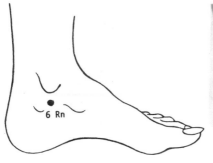 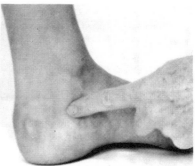

6 Rn: Juste sous l'os de la cheville interne dans un creux.

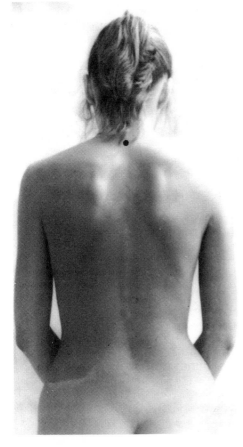 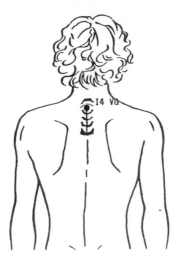

14 VG: Dans le dos entre la 7ème vertèbre cervicale et la première vertèbre dorsale. À noter que la vertèbre C 7 bouge beaucoup quand vous tournez la tête alors que la 1ère dorsale est moins mobile puisqu'elle est en partie immobilisée par son attache costale.

C'est au niveau de ce point que se trouve la fameuse bosse de bison.

Mal de tête diffus

Disperser 4 Rt, puis 4 GI.

Puis 2 Rt, 3 Rt, Inn Trang.

Inn Trang: Il se situe entre les deux sourcils. C'est en quelque sorte le troisième oeil.

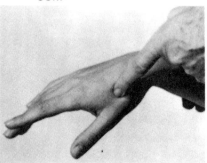

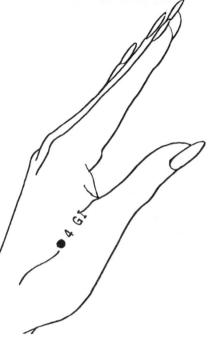

Le 4 GI: Vous le trouverez facilement, il est entre le pouce et l'index, au sommet de l'angle quand leurs deux métacarpiens sont écartés.

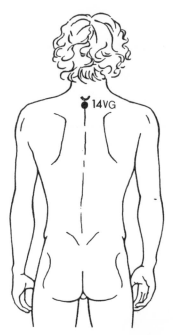

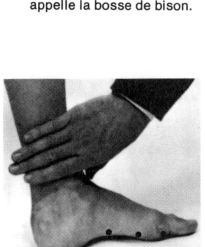

14 VG: Sous la 7ème vertèbre cervicale, c'est la région un peu accentuée que l'on appelle la bosse de bison.

2 Rt: Juste avant «l'oignon», à la limite de la peau dorsale et de la peau plantaire, au bord interne du pied.

3 Rt: Juste après «l'oignon».

4 Rt: Comme les deux points précédents, vous le trouverez à la limite de la peau dorsale et de la peau plantaire, à 3 travers de doigts du 3 Rt, comme le montre le schéma.

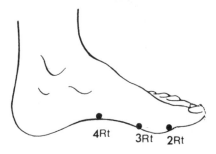

Céphalée de la nuque

Disperser: 3 IG — 62 VG — 10 V — 14 VG.

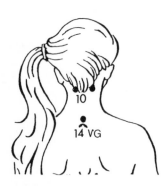

14 VG: Entre C7 et D1, au niveau de la bosse de bison du haut du dos.

10 V: Derrière la nuque, de chaque côté du creux central, sous les basses occipitales.

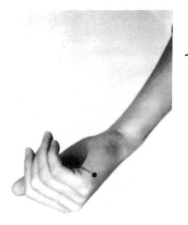

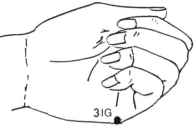

3 IG: Il est sur le bord interne de la main, dans un petit creux contre la butée osseuse de l'articulation métacarpophalangienne, c'est-à-dire au bout du pli de flexion de la paume de la main.

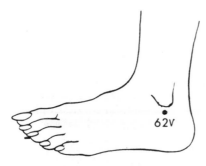

62 V: Face externe du pied, sous la malléole externe au-dessus du bord supérieure du calcanéum, dans le creux qui correspond à la sortie externe du sinus du tarse.

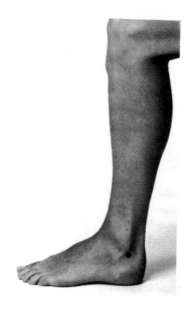

127

Maux de tête hypertension

Si votre mal de tête provient d'une hypertension artérielle, il convient de faire surveiller votre tension par un spécialiste et de suivre certaines règles hygiéniques. Voici de bons conseils:

Infusion d'olivier: prendre une tasse entre les repas.

Comprimés d'ail: 3 par jour, et 3 capsules 2 fois par jour de complexe de plantes contre l'hypertension.*

Vitamines: B 1 — B 2 — C — E — F — I — J.

Vous trouverez ces vitamines dans la super levure de bière, le citron, la betterave rouge, le foie, la cervelle.

Éviter les graisses animales, utiliser des huiles, première pression à froid, ou des graisses non hydrogénées.

Attention: le tabac, l'alcool, le café sont des anti-vitaminiques et ils favorisent l'hypertension.

Consommer surtout des salades, des légumes, des fruits.

Voici les points qui vont effacer votre mal de tête: 5 TR — 41 VB — 20 VB — 7 MC.

---

* **SÉDATENTION:** nom commercial du complexe de plantes contre l'hypertension.

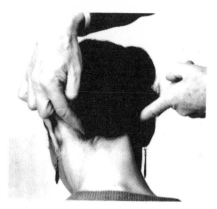

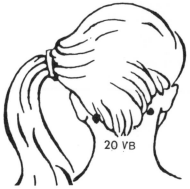

20 VB

20 VB: Derrière la nuque, sous la bosse occipitale, c'est-à-dire sous l'angle du rebord inférieur du crâne.

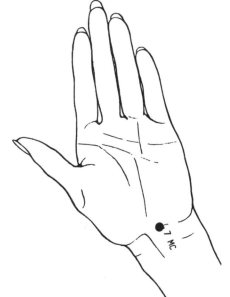

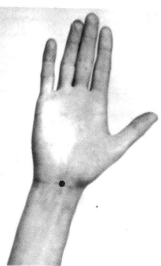

7 MC: En plein milieu du pli du poignet.

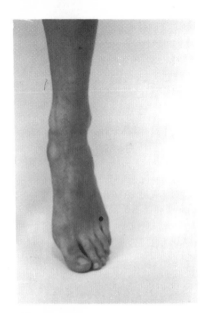

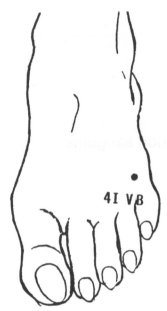

41 VB: Au sommet de l'angle que forment les deux derniers métatarsiens écartés.

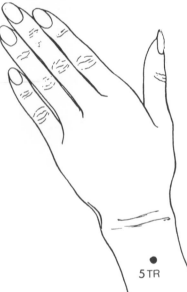

5 TR

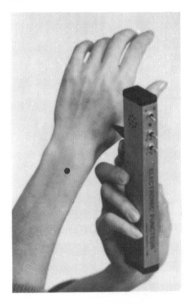

5 TR: Sur la face postérieure de l'avant-bras, à deux travers de doigts au-dessus du pli de flexion du poignet.

LA CIRCULATION SANGUINE

Ne dit-on pas que nous avons l'âge de nos artères!

Pour être toujours en forme, une bonne circulation sanguine s'impose.

Rôle de la circulation

Les artères sont chargées de laisser passer à travers leurs parois dans le liquide intersticiel où baignent nos cellules, les nutriments dont elles ont un besoin vital.

Les veines et les vaisseaux lymphatiques font partie de la circulation de retour dont le rôle est de transporter les déchets résultant du métabolisme cellulaire, vers les systèmes d'épuration que sont les poumons, les reins, la peau, le foie.

Le sang est donc un véhicule qui transporte d'une part la nourriture à nos cellules, puis les débarrasse de leurs déchets.

Il faut savoir que la circulation sanguine est conditionnée par notre système énergétique, d'où l'intérêt de l'utilisation des points énergétiques associée à l'hygiène alimentaire et au bon usage des plantes.

La qualité de notre sang

Il est de la plus grande importance pour notre santé que notre sang corresponde aux critères biologiques adéquats.

Un des grands problèmes de la santé des Occidentaux s'appelle l'artériosclérose, c'est-à-dire la sclérose des artères. Ce mal du siècle génère l'infarctus du myocarde, l'attaque cérébrale, l'artérite, et bien d'autres maux, responsables de nombreux décès. L'artériosclérose provient en grande partie d'une mauvaise alimentation, d'un excès de café, de graisse animale et surtout du tabac et de l'alcool, mais aussi des hydrates de carbone raffinés et particulièrement du sucre ainsi que des produits chimiques et des eaux de table trop calcaires, trop minéralisées. Tout cela contribue à épaissir le sang et ainsi à colmater et durcir peu à peu nos artères.

Les aliments bienfaisants pour notre sang:

Les salades, les légumes, les fruits, le persil, l'ail, les aromates, les jus de citron, de pamplemousse, d'ananas, de cassis et de betterave rouge.

Les plantes bienfaisantes pour notre sang

Fumeterre: fluidifiant. *Solidago*: dépuratif et éliminateur de déchets. *Le paliure*: hypotenseur s'oppose au cholestérol et élimine l'acide urique. *Orthosiphon*: hypotenseur, diurétique, élimine l'acide urique. *Le gui*: hypotenseur, antispasmodique, purgatif, nettoie et fortifie le sang. *Le gingko — biloba*: Il s'agit d'un arbre millénaire. Ses feuilles, contiennent une substance bienfaisante pour notre système vasculaire qui améliore la circulation surtout capillaire, par son action tonique, tant sur les veines que les artères.

Les vitamines et la circulation sanguine

Les vitamines indispensables sont surtout celles du groupe B comme B 1, B 3 mais aussi les vitamines E et C et plus particulièrement les vitamines P qui contrôlent la perméabilité capillaire et la vitamine F qui joue un rôle important sur le comportement de notre cholestérol et permet de lutter contre l'artériosclérose.

Où trouver ces vitamines?

Les vitamines du groupe B sauf B12 sont abondamment réparties dans la levure alimentaire, le germe de blé, les céréales germées, les céréales complètes. On les trouve en plus petite quantité dans les légumes verts et légumineuses, les abats: foie, rognon, cervelle, coeur, et le jaune d'oeuf.

Vitamine E: germe de céréales et leurs huiles surtout l'huile de germe de blé, mais aussi les huiles vierges, première pression à froid, d'olives, de noix, de soja. On la trouve également en plus petite quantité dans les légumes verts comme le chou, la laitue fraîchement cueillie, les épinards, ainsi que dans le saumon frais et le jaune d'oeuf.

Vitamine C: choux, épinards crus, les poivrons, tomates, groseilles, fraises, les agrumes: citron, orange, pamplemousse mais il faut savoir que les champions de la vitamine C sont: le persil, l'arbousier, le cynorrhodon et surtout une petite cerise l'aceirola.

Vitamine P: levure de bière, les champignons, le germe de blé, les épinards, le foie, le gruau d'avoine, la laitue, le paprika, le citron, l'orange, les amandes, les abricots, l'extrait de marron d'Inde qui renferme une vitamine similaire, la vitamine C2.

Vitamine F: les huiles vierges, première pression à froid: olives, soja, noix, cartame, tournesol, sésame.

À noter aussi le besoin de Choline et d'Inositol, substance hydrosoluble faisant partie aussi bien du groupe des vitamines B que des hormones cellulaires. Elle diminue l'excès de tension artérielle en dilatant le cas échéant les vaisseaux sanguins périphériques et en ralentissant le rythme cardiaque.

L'Inositol abaisse le taux de cholestérol. On trouve ces substances dans le germe de blé, le soja, le foie, le coeur, les épinards, la levure de bière, la betterave rouge.

POUR FAVORISER LA CIRCULATION DE RETOUR DANS LES JAMBES

Soins des jambes

Si vous avez les jambes enflées ou simplement les jambes lourdes ou fatiguées, si votre circulation de retour se fait mal, les points suivants devraient vous apporter un résultat immédiat:

Disperser 41 VB — 5 TR — 26 VB — 27 VB — 28 VB, puis 32 E — 6 RT — 5 Rt — 1 F — 3 F.

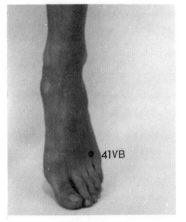

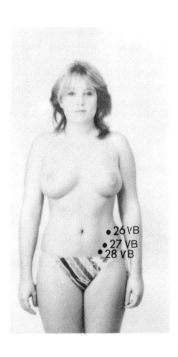

5TR: voir photo et dessin à la page 130.

41 VB: Au sommet de l'angle que forment les deux derniers métatarsiens écartés.

5 TR: Sur la face postérieure de l'avant-bras, à deux travers de doigts au-dessus du pli de flexion du poignet.

26 VB: Sur les côtés du ventre au même niveau que l'ombilic. Entre la base des côtes et la crête iliaque de la hanche.

27 VB: Au dessus de la pointe de l'os iliaque E.I.A.S.

28 VB: Sous l'E.I.A.S. (pointe supérieure de l'os iliaque.

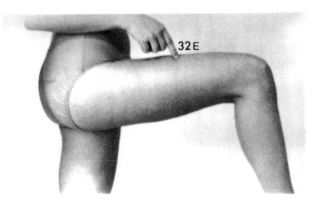

32 E: au milieu de la cuisse, en dehors du muscle central.

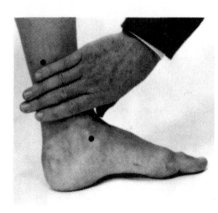

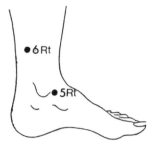

6 Rt: Face interne de la jambe à quatre travers de doigts au-dessus de la malléole interne, dans un petit creux derrière le tibia.

5 Rt: en avant et sous la malléole interne, dans le creux qui se forme en portant le pied en dedans.

1 F: angle unguéal externe du gros orteil.

2 F: Entre les deux premiers orteils interarticulaire.

3 F: Au sommet de l'angle que forment les deux premiers métatarsiens écartés.

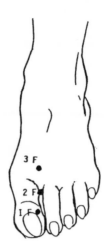

Le lendemain, disperser: 4 RT — 6 MC — 10 Rt — 1 Rt — 2 Rt — 3 Rt — 38 VB.

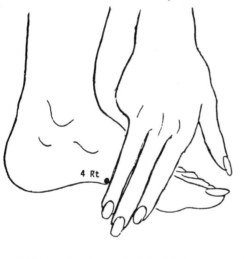

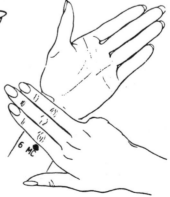

4 Rt: bord interne du pied à 3 travers de doigts au-dessus de la bosse osseuse de l'articulation du gros orteil.

6 MC: sur la face antérieure du poignet en son milieu à 3 travers de doigts au-dessus du pli du poignet.

137

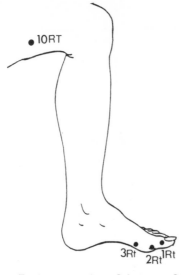

10 Rt: Face interne de la cuisse à 3 travers de doigts au-dessus du genou.

1 Rt: angle unguéal interne du gros orteil.

2 Rt: Bord interne du gros orteil, juste avant l'articulation.

3 Rt: juste après l'articulation du gros orteil.

Puis tous les 3 jours: 32 E — 5 Rt — 6 Rt — 36 E — 35 E — 1 F — 1 Rt — 3 Rn.

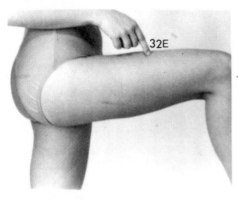

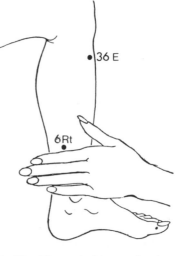

32 E: en plein milieu de la cuisse.

35 E: dans le petit creux juste au-dessus du genou côté externe.

36 E: À 4 travers de doigts sous le pli d'articulation du genou, sur la face interne de la jambe, en-dehors du tibia.

6 Rt: Face interne de la jambe, à quatre travers de doigts au-dessus de la malléole interne, dans un petit creux derrière le tibia.

138

5 Rt: Devant et dessous de la malléole externe, dans le creux qui se forme si l'on porte le pied en le tournant en dedans.

3 RN: dans le creux derrière l'os de la cheville face interne.

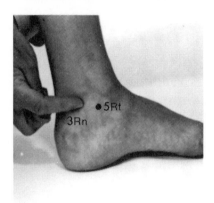

1 F: angle unguéal externe du gros orteil.

1 Rt: angle interne de la base de l'ongle du gros orteil.

Prendre 3 fois par jour 3 capsules du complexe.*

C'est un excellent complexe de plantes au pouvoir veinotrope comprenant la vigne rouge, l'épine-vinette, la noix de cyprès, le millefeuille, le ginko-biloba.

_____

* **LYMPHODRAINAL:** nom commercial donné au complexe de plantes au pouvoir veinotrope.

Artériosclérose

Une accumulation de lipides amorphes dans les artères diminue l'élasticité et favorise la sclérose de l'artère, maladie de notre civilisation.

Supprimer tabac, alcool, graisse animale, sucre, charcuterie, pâtisserie.

Consommer des légumes, salades, fruits, ail, oignons, huile vierge 1ère pression à froid.

Infusion de racine de pissenlit, jus de radis noir, jus de pamplemousse. Veillez à votre cholestérol, lipides, triglycérides dans le sang.

Besoin de vitamines: B — C — E — P — Inositol — Choline — Lécithine — Magnésium et B 6. Éviter les graisses hydrogénées. Il est indispensable de veiller au bon fonctionnement de votre foie. Voir la rubrique à ce sujet.

Disperser: 3 F — 14 F — 39 VB — 62 V — 8 MC — 36 E — 15 GI — 6 Rt.

 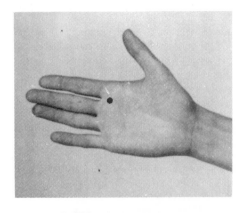

8 MC: Au milieu du pli de flexion de la main.

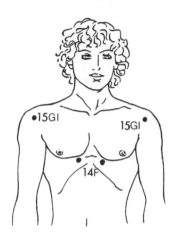

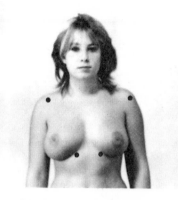

14 F: Sur la poitrine, dans le creux entre les côtes, dans le 6ème espace intercostal sous le mamelon.

15 GI: Sur l'épaule, un peu devant, dans le creux qui apparaît en soulevant le bras.

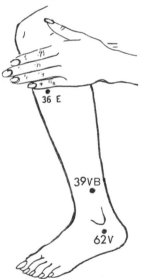

36 E: Il est à 4 travers de doigts sous l'articulation du genou, sur la face externe de la jambe. Il se trouve sous le médius si vous posez votre main sur le genou.

39 VB: Sur la face externe de la jambe, à deux travers de doigts au-dessus de la cheville.

62 V: Sous la malléole (cheville externe).

141

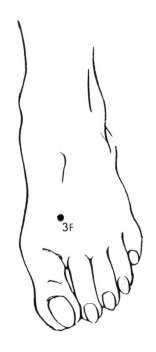

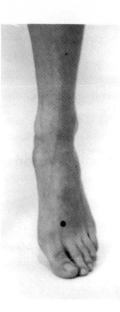

3 F: Sur le pied. Entre le premier et deuxième métatarsiens.

6 Rt: Sur la face interne de la jambe à quatre travers de doigts au-dessus de la cheville, contre le bord postérieur du tibia.

Hypertension

L'hypertension artérielle est souvent dépistée au cours d'un examen général. Elle peut varier d'un jour à l'autre aussi est-il prudent de prendre sa tension à plusieurs reprises.

Il y a hypertension maxima si celle-ci est au-dessus de 15 cm de mercure et minima au-dessus de 9.

Dans le cas d'une hypertension sérieuse, il est nécessaire d'être suivi médicalement.

Mais là encore, l'hygiène de vie joue un rôle fondamental. En premier, il faut éviter l'alcool, le tabac, les graisses animales.

Consommer des fruits, des légumes, des salades, du jus de fruits et de légumes.

Consommer beaucoup d'ail.

Remplacer l'huile ordinaire par de l'huile vierge première pression à froid.

Les points suivants peuvent faire baisser la tension: 7 MC — 7 C — 20 VB — 2 Rn.

Prendre 3 comprimés d'ail 3 fois par jour.

Prendre 3 capsules de plantes agissant contre l'hypertension* 3 fois par jour: complexe exclusif de plantes à base d'olivier, fumeterre, aubépine, paliure, orthosiphon.

---

* **SÉDATENSION:** nom commercial donné au complexe de plantes agissant contre l'hypertension.

7 MC: En plein milieu du pli du poignet.

7 C: À côté du 7 MC mais près du bord interne de la main (petit doigt) dans un creux que l'on perçoit mieux en pliant le poignet.

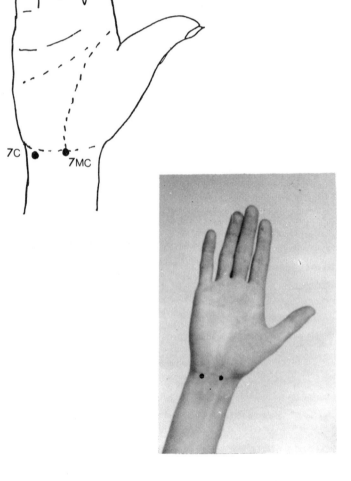

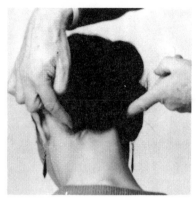

20 VB: derrière la nuque sous les bosses occipitales.

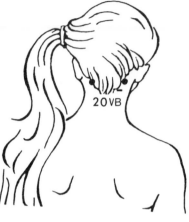

2 Rn: sur la face interne du pied sous l'os scaphoïde qui est à un doigt en dessous et en avant de la malléole interne (l'os de la cheville.)

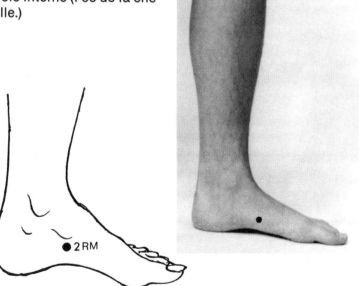

Hypotension

Tonifier: 9 C — 9 MC — 6 VC.

Consommer du germe de blé

Infusion: thym, romarin, sarriette.

Prendre 3 capsules 1 à 3 fois par jour entre les repas du complexe exclusif à base de plantes:* charbon Marie, sarriette, romarin, eleutheroccocus.

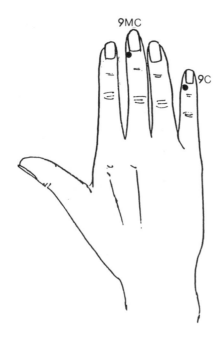

9 C: À la base de l'ongle du petit doigt (côté du 4ème).

9 MC: Base de l'ongle du 3ème doigt, côté de l'index.

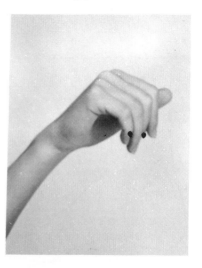

---

* **TENSIOTONIQUE:** nom commercial donné au complexe à base de plantes contre l'hypotension.

6 VC: À 2 travers de doigts sous le nombril, sur la ligne médiane.

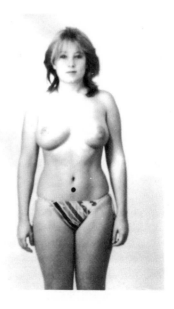

Palpitations cardiaques nerveuses

Tonifier le 5 C à droite

5 C: Vous le trouverez sur le poignet, côté du petit doigt, à 2 travers de doigts au-dessus du pli du poignet, en dehors du tendon cubital antérieur (voir schéma).

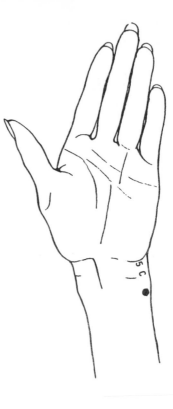

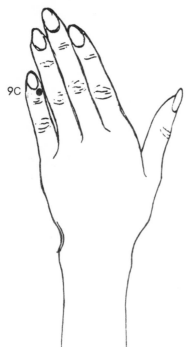

Si la main et le bras sont glacés, ajouter: 2 Rn et 3 Rn.

9 C: À l'angle unguéal, c'est-à-dire à la base de l'ongle du petit doigt, côté du 4ème. Ce point tonifie le coeur et il faut le tonifier en cas de ralentissement de celui-ci.

148

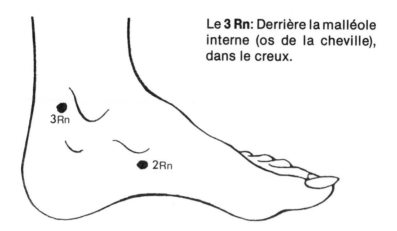

Le **3 Rn**: Derrière la malléole interne (os de la cheville), dans le creux.

Le **2 Rn** est en avant de la malléole (os de la cheville) interne et en bas, sous l'os proéminent que l'on sent à 3 travers de doigts d'une ligne oblique partant de la malléole et allant à la base du milieu du pied, sous l'os scaphoïde.

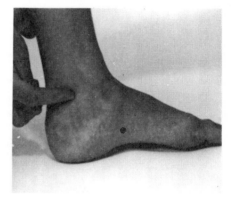

Les plantes: livèche — aubépine — ou 2 capsules entre les repas et 3 avant de se coucher du complexe de plantes.*

---

* **CARDIOSÉDAL:** nom commercial du complexe de plantes aidant à contrer les palpitations cardiaques.

HÉMORROÏDES

Prendre 2 capsules du complexe de plantes aidant à soulager les hémorroïdes 2 fois par jour.*

Ce complexe exclusif de plantes contient du marron d'Inde, du chardon Marie, de l'hammamelis, de la vigne rouge, des feuilles de noisettier.

Les vitamines : B 6, P, que l'on trouve dans la levure de bière, le germe de céréales, le soja, le jaune d'oeuf, le foie.

Les points suivants font souvent merveille:

Disperser: 32 E, 36 E, 57 V, 1 VG, 50 V.

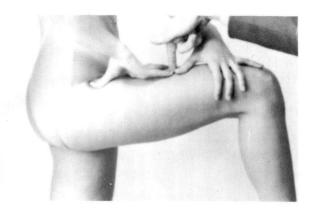

32 E: Sur le milieu de la cuisse, légèrement à l'extérieur du muscle quadriceps (droit antér.).

---

* **HÉMOREX:** nom commercial du complexe de plantes suivant à soulager les hémorroïdes.

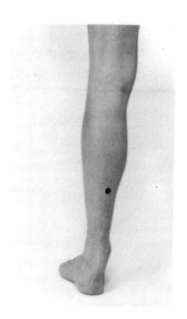

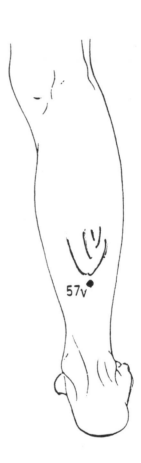

57 V: Sur le mollet sous la principale masse musculaire que l'on appelle les jumeaux.

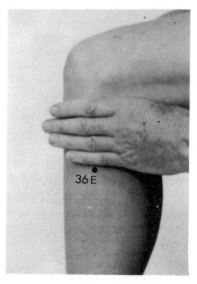

36 E: Face externe de la jambe, à 4 travers de doigts sous l'articulation du genou; vous pouvez le trouver aussi sous votre médius, si vous placez la paume de votre main sur votre genou.

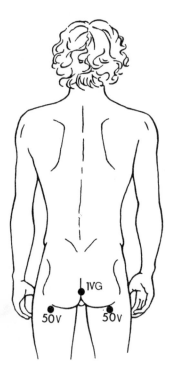

1 VG: Vous êtes assis dessus, car c'est la pointe du coccyx.

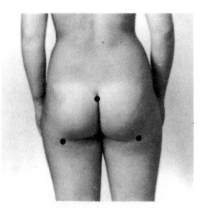

50 V: Au début de la face postérieure de la cuisse, au milieu, sous les muscles fessiers.

LES RHUMATISMES

Il y a de nombreuses formes de rhumatismes qui peuvent être chroniques comme l'arthrose, ou inflammatoire comme le rhumatisme articulaire aigu, la périarthrite de l'épaule ou la pelvi-spondylite-ankylosante de la colonne vertébrale. Autrement dit, il y a des rhumatismes graves évolutifs et d'autres plus nombreux beaucoup moins dangereux comme les tendinites. Les rhumatismes englobent les maladies dans les os, les articulations et les muscles.

Tout le monde a donc fait ou fera connaissance avec les rhumatismes, ne serait-ce que la simple arthralgie, c'est-à-dire la douleur articulaire plus ou moins fugitive qui touche une ou plusieurs articulations, ou la tendinite, le rhumatisme des tendons, fréquent au coude «le coude elbow» épicondylite et quelquefois à l'épaule ou au talon d'Achille. Ces tendinites peuvent durer des semaines et même des mois puis elles disparaissent d'un seul coup.

Parmi les rhumatismes, nous trouverons la fameuse sciatique et le lumbago; il s'agit cette fois d'une névralgie, c'est-à-dire d'une inflammation du nerf; la sciatique se situe derrière le membre inférieur, la cruralgie devant. Au membre supérieur, c'est la cervico-brachialgie, au visage, la névralgie du nerf trijumeau.

Il nous faut citer aussi l'arthrose si fréquente au niveau vertébral. Elle touche ou touchera presque tout le monde; il s'agit d'une dégénération cartilagineuse souvent bénigne à ce niveau-là. Il en sera tout autrement au niveau de la hanche ou du genou, car la coxartrose ou la gonarthrose sont parfois invalidantes.

Ne pas confondre arthrose et arthrite.

L'arthrose est une douleur sourde, insidieuse alors que l'arthrite est une douleur aiguë, il y a inflammation dans ce dernier cas; l'articulation peut être chaude, rouge et gonflée et l'état général peut être fiévreux. C'est la forme de rhumatisme la plus pénible et qui doit être surveillée de très près par un spécialiste en rhumatologie.

Notre technique naturelle de soin s'adresse donc plus particulièrement aux douleurs articulaires récentes et non inflammatoires.

Certaines personnes sont plus prédisposées que d'autres à faire des rhumatismes; il y a vraisemblablement un terrain héréditaire favorable chez certains sujets, mais de toutes façons, c'est un état qui bénéficiera grandement des soins naturels, c'est-à-dire de la DIGITO PUNCTURE associée à l'hygiène alimentaire, à l'usage des plantes, de leurs huiles aromatiques, de l'homéopathie, des vitamines et des oligo-éléments.

Rhumatisme et hygiène alimentaire

Nous avons vu que l'hygiène alimentaire joue un rôle fondamental dans la qualité de notre liquide intersticiel, c'est-à-dire le milieu humoral où vivent nos cellules, or ne perdons pas de vue que tous nos tissus qu'ils soient articulaires ou autres ne sont rien d'autres que des sociétés de cellules et que la qualité de nos tissus va dépendre de la qualité du milieu dans lequel vivent ces cellules. Il est donc de la plus grande importance que notre liquide intersticiel soit de bonne qualité.

Cela va dépendre de notre alimentation et du bon fonctionnement de nos émonctoires et surtout de la bonne circulation énergétique qui conditionne tous nos phénomènes biologiques.

Ce qui est totalement déconseillé: l'alcool, le sucre, le café au lait, les conserves, le poivre, le chocolat.

Ce qu'il faut éviter le plus possible: le tabac, le café, les pâtisseries, la charcuterie, les sirops.

Diminuer: la viande.

Ce qui est conseillé: les fruits, les céréales complètes, les légumes, les salades.

• **Les légumes et salades**: courge, cresson, pissenlit, laitue, chou, carotte, navet, radis, oignon, ail, persil, luzerne, cerfeuil, olives, salsifis.

• **Les céréales complètes**: riz, blé, sarrasin, maïs, millet, couscous, orge, pain complet.

• **Les fruits**: amande, noix, noisette, pomme, poire, abricot, raisin, melon, pêche, mûre, framboise, fraise, bleuet, groseille, goyave, papaye.

MAL AU DOS
LUMBAGO, LOMBALGIE, SCIATIQUE

La douleur siège dans le bas du dos au niveau des muscles lombaires et des reins, c'est pourquoi il est coutumier de dire que l'on a mal aux reins. Le plus souvent il s'agit d'une contracture musculaire d'origine énergétique qui cède très bien à la stimulation des points énergétiques suivants.

Disperser 62 V — 3 IG. Tonifier 1 VG disperser 14 VG et 27 VG.

IMPORTANT: Ces points concernent une douleur située verticalement sur la colonne vertébrale. Si la douleur se situe sur les côtés de la C.V. ou en ceinture, tenez compte des pages suivantes.

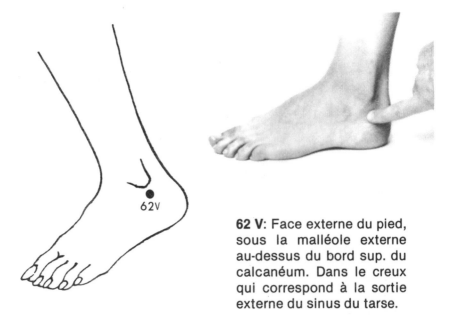

62 V: Face externe du pied, sous la malléole externe au-dessus du bord sup. du calcanéum. Dans le creux qui correspond à la sortie externe du sinus du tarse.

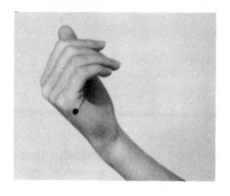

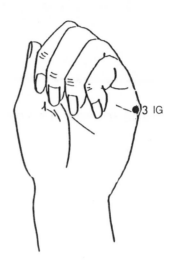

3 IG: Il est sur le bord interne de la main, dans un petit creux contre la butée osseuse de l'articulation métacarpophalangienne, c'est-à-dire au bout du pli de flexion de la paume de la main.

27 VG: Juste entre la racine du nez et la lèvre supérieure.

14 VG: dans le dos entre la 7ème vertèbre cervicale et la 1ère vertèbre dorsale c'est-à-dire au niveau de la bosse de bison.

1 VG: À la pointe du coccyx, à l'extrémité inférieure.

Le secours des plantes:

Friction: Des frictions avec des huiles essentielles de marjolaine et lavande ou avec le complexe d'huiles essentielles.*

Infusion: Si la douleur est fréquente et tenace, prendre une tasse entre chaque repas d'infusion d'harpagothytum ou 3 capsules, 3 fois par jour, du complexe de plantes à base de bouleau, cassis, frêne, chiendent et harpagothytum.*

---

* **RHUMATESCENCE:** nom commercial du complexe d'huiles essentielles.
* **RHUMATHYTOL:** nom commercial du complexe de plantes pour contrer le mal de dos.

Lombalgie en ceinture

La douleur irradie horizontalement; elle est souvent accompagnée de ballonnement, quelquefois de faiblesse dans les jambes ou de jambes lourdes et de déficience de la circulation veineuse éventuellement.

Commencer par disperser: 41 VB, puis 5 TR.

Puis 26 VB — 27 VB — 28 VB.

Disperser ensuite le 54 V et les points douloureux.

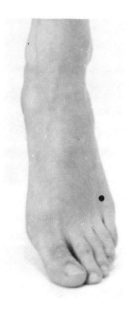 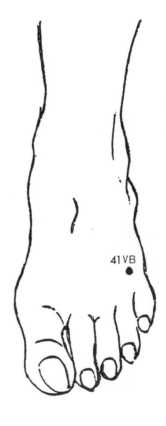

41 VB: Au sommet de l'angle que forment les deux derniers métatarsiens écartés.

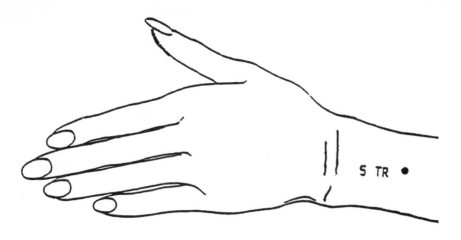

5 TR: Sur la face postérieure de l'avant-bras, à deux travers de doigts au-dessus du pli de flexion du poignet.

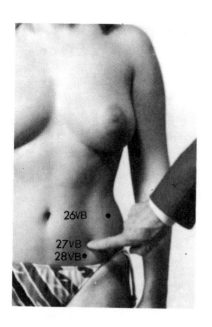

26 VB: Sur les côtés du ventre au même niveau que l'ombilic. Entre la base des côtes et la crête iliaque de la hanche.

27 VB: Au-dessus de la pointe de l'os iliaque E.I.A.S.

28 VB: Sous l'E.I.A.S. (pointe supérieure de l'os iliaque.

Ces points sont souvent très sensibles dans le cas de troubles hépato-vésiculaires, de constipation, ou de lombalgie en ceinture; c'est une raison de plus pour y faire circuler l'énergie qui y stagne.

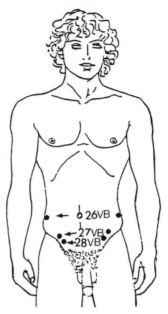

Prendre 3 capsules 3 fois par jour de complexes de plantes* qui soulagent le mal de dos, le matin et 3 capsules le soir d'un autre complexe qui soulage le mal de dos.*

Homéopathie

Prendre 3 granules toutes les heures.

Si la douleur est aggravée au moindre mouvement: brioma 4 CH.

Si la douleur est améliorée par le mouvement: rhus toxicodendron 4 CH.

Si vous avez une sciatique: colocyntbis 4 CH.

Vitamines: B1, B6, et B12.

---

* **PROPOLLEN-ARGILES:** nom commercial d'un complexe de plantes aidant à soulager les maux de dos en assainissant les intestins.

* **HÉPATODRAINOL:** nom commercial d'un complexe de plantes aidant à soulager les maux de dos provoqués par une mauvaise digestion donnant lieu à des ballonnements du ventre.

Mal au dos le long de la colonne vertébrale
(de chaque côté de la colonne)

Voici les points qui peuvent diminuer et même souvent supprimer une douleur se situant verticalement de chaque côté de la colonne vertébrale.

Commencer par disperser le 62 V — 3 IG et le 1 V puis tonifier le 67 V et le 18 IG puis disperser les 60 V et 54 V. Vous pouvez finir en dispersant les points douloureux que vous trouverez dans le dos en les frictionnant avec de l'huile essentielle de Wintergreen, camphre, lavande ou le complexe d'essences naturelles 3 fois par jour.*

La stimulation des points peut être réalisée une à deux fois pendant un à trois jours, car en principe la douleur devrait disparaître avant.

Si vous êtes sujet au mal au dos, il est conseillé de prendre une à 3 capsules du complexe de plantes à base de bouleau, cassis, frêne, chiendent, et harpagophytum.*

On peut également bénéficier de cataplasme de Parafango.

Homéopathie:

Prendre, suivant le cas, les granules suivantes à raison de 3, une fois par jour.

Si la douleur se limite au côté gauche: prendre 3 granules entre les repas une fois par jour Berberis 4 CH.

---

* **RHUMATESCENCE:** nom commercial du complexe d'essences naturelles aidant à soulager le mal de dos.

* **RHUMATHYTOL:** nom commercial du complexe de plantes aidant à soulager le mal de dos.

Si la douleur est au niveau du sacrum, prendre Aesculus 4 CH.

Si la douleur vous rend insupportable avec votre entourage: Chamomilla.

Si la douleur siège dans le haut du dos entre les omoplates: Actea Racemosa.

Si elle se trouve au niveau des reins et qu'elle s'intensifie au mouvement: Rhus Toxicodendron 5 CH; en prendre 3 granules 3 fois par jour.

Vitamines: B 1, B 6, B 12 que l'on trouve dans la levure alimentaire, le germe de blé, le jaune d'oeuf, le foie de boeuf, le soja, le chou et surtout les céréales complètes, il faut savoir cependant que la vitamine B 12 se trouve surtout dans le règne animal notamment dans le foie, les oeufs, le fromage, et les huîtres.

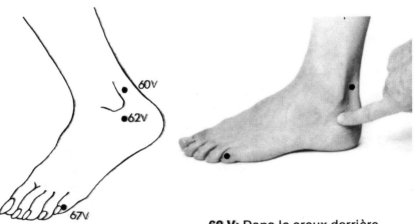

62 V: Sous la malléole externe (os de la cheville). Dans le creux qui est à un doigt en-dessous.

60 V: Dans le creux derrière la malléole externe.

67 V: À la base de l'ongle du petit doigt de pied, côté externe.

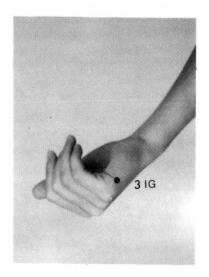

3 IG: Dans le prolongement du pli de flexion de la main, contre la proéminence osseuse de l'articulation du petit doigt.

3 IG

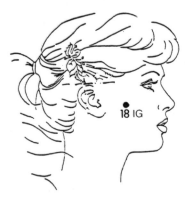

18 IG

18 IG: À la verticale du milieu de l'oeil, sous l'os de la pommette.

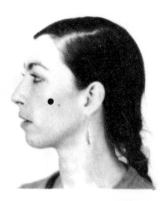

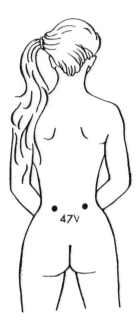

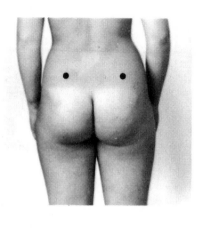

47V

47 V: Dans le bas du dos (lombes), un peu au-dessus de la crête iliaque, à 3 travers de doigts de chaque côté de la 3ème vertèbre lombaire.

54 V

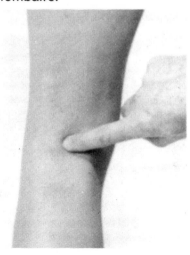

54 V: En plein milieu de la face postérieure du genou.

ARTHROSE CERVICALE

Il s'agit d'une détérioration cartilagineuse intervertébrale accompagnée quelquefois d'une ostéophytose (bec de perroquet) provoquée par une modification du comportement biologique dont nous connaissons encore mal le mécanisme, mais où l'hygiène de vie joue un rôle non négligeable.

Quoi qu'il en soit, voici quelques points qui peuvent rendre service.

5 TR — 38 VB — 5 Rt en tonification puis 11 V en dispersion. Puis le lendemain: 3 IG — 62 V — 26 VG — 60 V en dispersion.

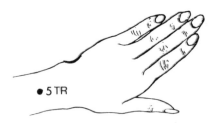

5 TR: se trouve sur la face postérieure de l'avant-bras, à 3 travers de doigts au-dessus du pli du poignet, entre radius et cubitus.

38 VB: Sur la face externe de la jambe à 4 travers de doigts au-dessus de la cheville.

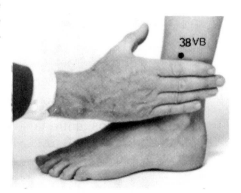

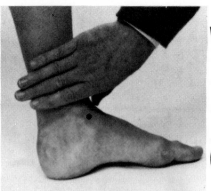 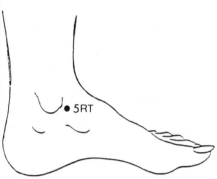

5 RT: Sur le cou-de-pied, en avant et en dessous de la cheville dans le creux qui se forme entre les deux tendons, si l'on tourne le pied en dedans.

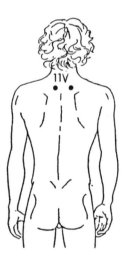 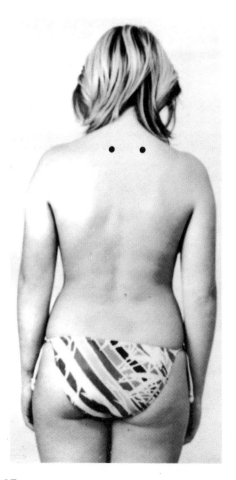

11 V: Dans le dos, entre la pointe de la partie supérieure de l'omoplate et la première vertèbre dorsale.

Voici l'emplacement des points que l'on peut faire en complément des 5 TR — 38 VB — 5 RT — 11 V.

Ceux-ci peuvent être réalisés au cours d'une séance qui aura lieu soit un ou plusieurs jours avant ou après.

3 IG, un point qui fait souvent merveille dans les douleurs de la nuque, puis le 62 V qui complète son action sur toute la colonne vertébrale, le 26 VG, point maître des vertèbres cervicales, puis le 60 V, point antalgique des douleurs articulaires et osseuses.

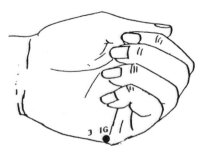

3 IG: Il est sur le bord interne de la main, dans un petit creux contre la butée osseuse de l'articulation métacarpo-phalangienne, c'est-à-dire au bout du pli de flexion de la paume de la main.

26 VG: Sous le nez, sur la lèvre supérieure, à l'union du tiers supérieur et des $^2/_3$ inférieurs.

62 V: Dans un petit creux, sous l'os de la cheville externe.

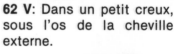

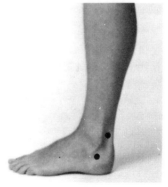

60 V: Dans le creux situé derrière la malléole externe (os de la cheville).

DOULEUR À L'ÉPAULE

Avant tout, commencer par disperser 41 VB — 5 TR. Si la douleur apparaît plus volontiers à l'élévation du bras, tonifier 1 GI des 2 côtés, c'est-à-dire également sur l'index du côté non douloureux, puis 11 GI puis disperser 15 GI.

Si la douleur apparaît surtout en portant le bras en avant: tonifier 11 P — 9 P, puis disperser 1 P et 2 P.

Si la douleur apparaît en portant le bras en arrière, disperser 8 TR.

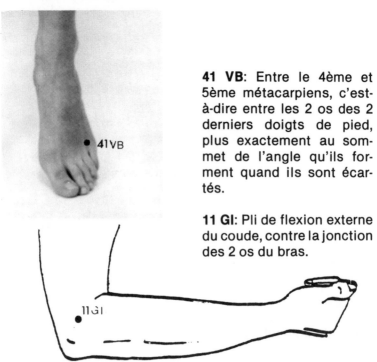

41 VB: Entre le 4ème et 5ème métacarpiens, c'est-à-dire entre les 2 os des 2 derniers doigts de pied, plus exactement au sommet de l'angle qu'ils forment quand ils sont écartés.

11 GI: Pli de flexion externe du coude, contre la jonction des 2 os du bras.

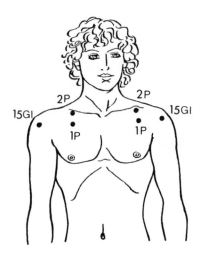

2 P: Sous la clavicule dans le creux qui apparaît en portant l'épaule en avant.

1 P: Juste en dessous du 2 P séparé de lui par une côte.

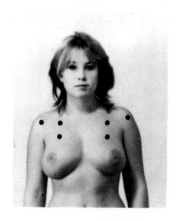

15 GI: Sur le moignon de l'épaule c'est-à-dire, sur le devant de la partie supérieure dans un creux qui apparaît en soulevant le bras.

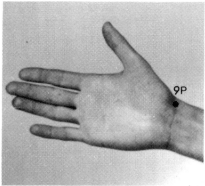

11 P: Au bord de l'ongle du pouce.

9 P: Sur le pli du poignet côté du pouce.

8 TR: Sur la face postérieure de l'avant-bras, à 4 travers de doigts au-dessus du pli du poignet entre les 2 os.

5 TR: À la face postérieure de l'avant-bras, à 3 petits travers de doigts au-dessus du pli du poignet, entre les deux os.

1 GI: Au bord de l'ongle de l'index.

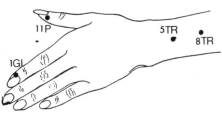

171

Le secours des plantes:

Friction avec un complexe aromatique à base d'huiles essentielles de plantes anti-rhumatismales.*

Organothérapie: prendre 2 comprimés 3 fois par jour de DILORGANE N° 14.

Infusion: une tasse entre les repas d'harpa-gophytum ou prendre des capsules du complexe de plantes anti-rhumatismales.*

* **RHUMATESCENCES**: nom commercial du complexe aromatique à base d'huiles essentielles de plantes anti-rhumatismales.

* **RHUMAPHYTOL**: nom commercial des capsules de plantes anti-rhumatismales.

DOULEURS AUX GENOUX

Les douleurs aux genoux sont fréquentes; on incrimine les rhumatismes et, en particulier l'arthrose, mais la douleur peut provenir également d'un traumatisme. Dans un cas comme dans l'autre, voici les points qu'il faudra disperser, une fois par jour, durant la période douloureuse.

Le premier jour: 41 VB, 5 TR, puis les points cardinaux.

Le jour suivant: 8 F, 9 Rt, 54 V, puis les points cardinaux.

Friction avec le complexe d'huiles essentielles de plantes sur le genou 2 à 3 fois par jour.*

Prendre 3 capsules de complexe de plantes anti-rhumatismales.*

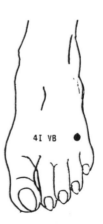

4I VB

41 VB: Sur le pied, entre les deux os (métatarsiens) du petit doigt de pied et du 4ème.

---

* **RHUMATESCENCE:** nom commercial du complexe aromatique à base d'huiles essentielles de plantes anti-rhumatismales.

* **RHUMATHYTOL:** nom commercial des capsules de plantes anti-rhumatismale.

54 V: En plein milieu du pli de flexion de la face postérieure du genou.

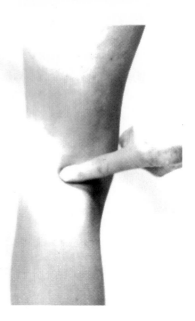

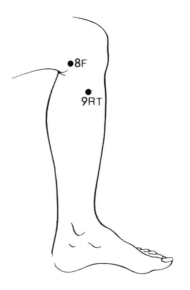

8 F: Face interne du pli de flexion du genou, entre les deux tendons.

9 Rt: Face interne du genou, contre l'arête du tibia, dans l'angle que celui-ci forme avec la base du genou.

Faire également les 4 points cardinaux autour de la rotule.

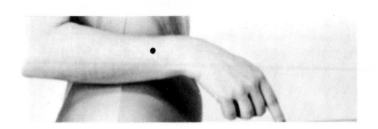

5 TR: Face postérieure de l'avant-bras, à 3 petits travers de doigts au-dessus du pli du poignet, entre radius et cubitus.

5 TR ●

DOULEUR AU GROS ORTEIL

La plus fréquente et la plus grosse douleur du gros orteil est la goutte. L'articulation du gros orteil est enflée, rouge, chaude et très doulou-reuse.

Une alimentation saine s'impose: supprimer l'alcool, la charcuterie, le sucre. Manger des légu-mes, de la salade, des fruits, des céréales complè-tes. Prendre 2 à 3 tasses par jour de décoction d'au-bier, de tilleul (vendue en pharmacie ou diététique) ou d'orthosiphon (thé de Java).

Boire de l'eau minérale Hydroxydase.

Prendre 3 à 6 gouttes dans un peu de miel délayé dans de l'eau tiède d'huile essentielle de genièvre.

Les points qui peuvent vous soulager rapide-ment et, quelquefois, supprimer le mal: en disper-sion: 4 Rt, 6 MC, 5 Rt, 3 F, 54 V. Continuer les jours suivants par les points qui donnent les meilleurs résultats; le 5 Rt est souvent, à lui seul, très satis-faisant. Un autre jour, disperser le 2 F et 2 Rt, puis tonifier le 10 Rn et 8 F.

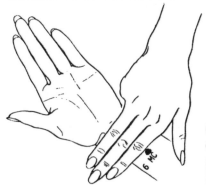

6 MC: À trois travers de doigts au-dessus du pli du poignet au milieu de l'avant-bras.

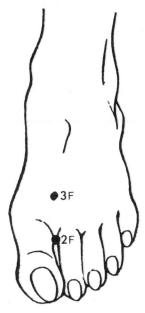

10 Rn: Contre le pli de flexion du bord interne du genou, entre les tendons des muscles ½ tendineux et ½ membraneux.

8 F: Face interne du genou au niveau du pli de flexion entre os et tendon.

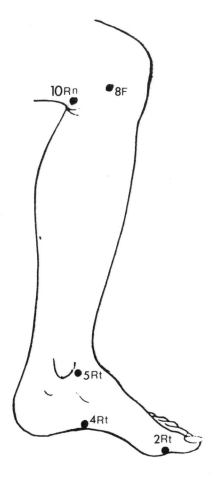

3 F: Au sommet de l'angle que forment les deux premiers métatarsiens écartés.

2 F: Entre les deux premiers orteils.

4 Rt: Sur le bord interne du pied, à mi-hauteur, c'est-à-dire à la limite de la peau dorsale et de la peau plantaire du pied. Au centre du bord int., à 3 travers de doigts de l'articulation de la phalange du gros orteil.

5 Rt: Devant et sous la cheville interne, dans le creux qui se forme en portant le pied en dedans.

2 Rt: Bord interne du gros orteil, juste avant l'articulation.

LA RESPIRATION

C'est le premier et le dernier acte de la vie.

C'est dire l'importance d'une bonne respiration.

En améliorant notre respiration nous améliorons notre forme.

Il nous faut apprendre à utiliser pleinement nos capacités respiratoires. Quelques petits exercices respiratoires journaliers contribueront non seulement à oxygéner nos tissus, mais aussi à nous rendre plus calmes.

Nous devrons également éviter toutes les affections au niveau des voies respiratoires qui pourraient nous handicaper à court mais aussi quelquefois à long terme.

La stimulation des points énergétiques, les plantes, l'homéopathie nous seront d'un très grand secours.

Personnellement, j'ignore la grippe depuis plus de 15 ans alors qu'avant je la subissais à plusieurs reprises chaque hiver.

Exercice respiratoire

Les deux substances les plus vitales pour l'homme sont l'air et l'eau.

L'homme ne peut se passer d'air plus de quelques secondes.

La respiration joue donc un rôle capital.

Apprenons à respirer.

C'est simple.

Il suffit de disposer d'air le plus pur possible puis de positionner notre axe de vie qu'est la colonne vertébrale bien droit soit en station debout ou mieux assis sur une chaise ou au sol en tailleur. Commencer par vider le plus possible vos poumons en rentrant tout d'abord votre ventre, puis en dégonflant votre poitrine, puis porter vos épaules légèrement en avant pour finir de tout vider. Cette évacuation peut se faire avec la bouche mais il est préférable de la faire avec le nez, ce qui lui évite de se sécher.

Marquer un petit temps de repos, puis commencer à inspirer, en gonflant le ventre, puis en écartant les côtes de bas en haut, remplissez complètement votre cage thoracique.

Conserver le souffle quelques secondes, puis recommencer à expirer lentement comme précédemment.

Faites ainsi 5 à 6 inspirations profondes suivies d'expirations complètes.

Ceci calmement, lentement le plus amplement possible.

Vous pouvez contrôler le mouvement des côtes et du ventre avec les mains.

Respectez toujours un temps d'arrêt entre chaque phase d'inspiration et d'expiration.

Vous serez surpris des bienfaits car la respiration conduit notre rythme cardiaque et agit favorablement sur notre système nerveux.

Mal de gorge

Plus vite vous interviendrez, plus votre action sera efficace.

Disperser: 7 P — 3 IG.

Tonifier: 4 GI — 1 GI — 23 VC — 9 E

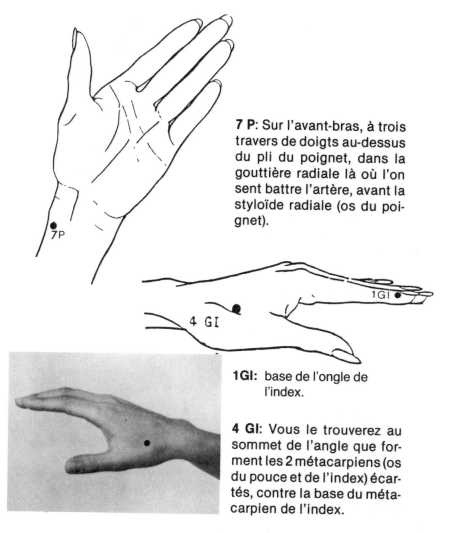

7 P: Sur l'avant-bras, à trois travers de doigts au-dessus du pli du poignet, dans la gouttière radiale là où l'on sent battre l'artère, avant la styloïde radiale (os du poignet).

1GI: base de l'ongle de l'index.

4 GI: Vous le trouverez au sommet de l'angle que forment les 2 métacarpiens (os du pouce et de l'index) écartés, contre la base du métacarpien de l'index.

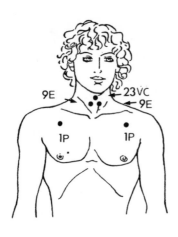

23 VC: À la pointe de la «pomme d'Adam».

9 E: De part et d'autre en-dessous de la «pomme d'Adam».

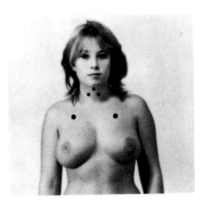

1 P: Sur le thorax, sous la clavicule, dans l'espace intercostal de la 1ère et la 2ème côtes.

Aromathérapie:

Se frictionner le cou avec de l'huile essentielle de sarriette ou cannelle.

Mettre une goutte sur la langue toutes les 3 heures environ.

Homéopathie

Si la gorge est rouge et brillante: Belladonna 4 CH.

Si la gorge est sombre avec des points blancs: Mercurius 4 CH.

Rhume des foins

Le rhume des foins est un phénomène allergique qui traduit un état général défectueux au niveau de ses émonctoires: peau, reins, foie qui éliminent et neutralisent mal les déchets et toxines.

L'écoulement nasal essaie de pallier à cette déficience.

Un traitement de terrain est recommandé, plus particulièrement dès les premiers jours de l'apparition des symptômes.

Il est alors conseillé de commencer par faire une mono-diète de 3 à 9 jours, qui consiste à ne manger qu'un seul aliment par jour, par exemple le matin: pomme crue — le midi: jus de pomme et pomme au four — le soir: pomme râpée. Le lendemain, carotte râpée en salade, cuite ou jus de carottes. Le surlendemain, fromage blanc, soit salé avec fines herbes, soit nature, soit avec vanille ou un peu de sirop d'érable. Également, faire une cure de raisins ou de cerises, ou de riz complet, etc...

La quantité est en fonction du besoin. L'essentiel c'est de ne consommer qu'un seul aliment en plusieurs prises par jour sous différentes préparations si vous le souhaitez. Il faut supprimer alcool, café, thé; boire soit de l'eau avec un peu de citron, si vous le désirez, ou des infusions de racine de pissenlit, de prêle, de girofle, de chiendent.

Homéopathie:

Sulfure 30 CH, un granule un jour sur deux. Alterner. Lycopodium 6 CH un granule un jour sur deux.

Les points à stimuler une fois par semaine pour le prévenir.

En automne tonifier: 1 Gl. Disperser 8 P. Puis ajouter:

En hiver: 10 Rn + 66 V + 1 F. Ajouter si vous urinez peu, c'est-à-dire 2 ou 3 fois par jour seulement le 1 Rn en dispersion. Si vous urinez plus de 4 fois par jour tonifier le 7 Rn.

Au printemps: tonifier 1 F + 8 F.

Disperser   41 VB.

En cas de crise:

Disperser 7 P — 36 E — 17 VC.

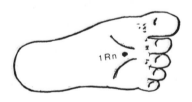

Crise d'asthme

Voici quelques points qui peuvent faire avorter une crise d'asthme, le 7 P en dispersion puis, si cela ne suffit pas, le 5 P, le 36 E en — et le 3 F en +.

5 P: Il est au pli externe du coude, presque au milieu, car en dehors du tendon du biceps, donc côté pouce.

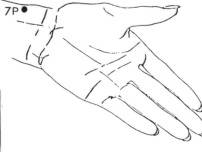

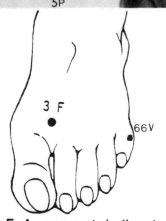

5P

7 P: Sur la face antérieure de l'avant-bras près du poignet, dans la gouttière (entre os et tendon), où l'on sent battre l'artère radiale, avant l'os du poignet.

36 E: Sur la face externe de la jambe, à 4 travers de doigts sous le genou, et à 2 travers de doigts de la crête du tibia.

3 F

66 V

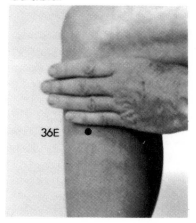

36E

3 F: Au sommet de l'angle que forment les 2 métatarsiens écartés.

66V: Voir page 187.

185

Aromathérapie:

Verser quelques gouttes d'huile d'essence de menthe forte dans de l'eau bouillante et respirer.

Voici aussi un petit «truc» qui peut être ajouté et donne quelquefois de bons résultats. Verser 15 gouttes d'une macération d'ail sur morceau de sucre qu'il faut sucer lentement. La macération d'ail se fait en laissant 6 gousses d'ail dans un quart d'alcool à 90° pendant 15 jours.

Sinusite

La stimulation des points énergétiques donne souvent de très bons résultats surtout si vous agissez au début de l'affection.

Sinusite frontale: Disperser 7 P, puis 67 V, 13 VB, 1 V, 24 VG.

Sinusite maxillaire: Disperser 4 GI, 20 GI, 45 E, 1 E, 20 VB.

Aromathérapie:

Frictionner les sinus avec de l'huile essentielle de cannelle, d'eucalyptus ou sarriette. Alterner.

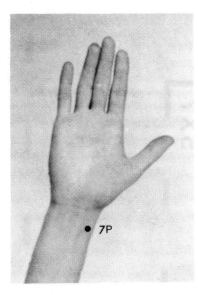

7 P: sur la face antérieure de l'avant-bras. Dans la gouttière radiale, c'est-à-dire là où l'on sent battre l'artère radiale, entre le tendon et l'os mais juste avant l'os du poignet dans un petit creux.

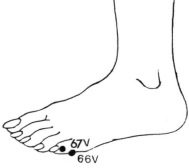

67 V: Juste à la base externe de l'ongle du petit doigt de pied.

66V: Avant l'articulation du petit doigt de pied.

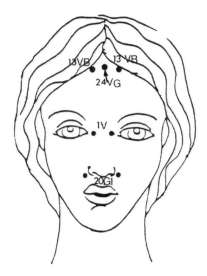

13 VB: Sur le front à la racine des cheveux à 4 travers de doigts de chaque côté de la ligne centrale.

24 VG: À la racine des cheveux sur la ligne médiane.

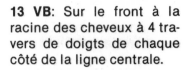

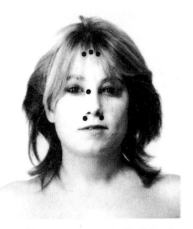

1 V: A l'angle interne de l'oeil.

20 GI: Dans un creux de chaque côté des ailes du nez.

4 GI: Au sommet de l'angle que forment les 2 premiers métacarpiens écartés (os de l'index et du pouce).

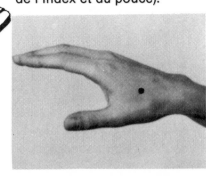

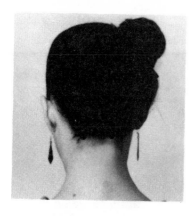

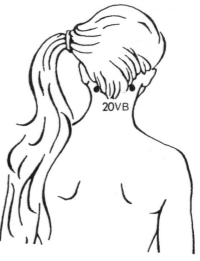

Le **20 VB** se trouve facilement, sous la bosse que
forme l'os occipital à la
racine des cheveux à environ 3 cm de droite et gauche
du milieu de la nuque. Ce
point est souvent sensible.

Homéopathie:

Sulfure 5 CH — 3 granules 4 fois par jour.

Aphonie

Si votre aphonie est récente, la stimulation des points suivants devrait vous permettre de retrouver votre voix rapidement.

Disperser: 7 P puis 6 P — 10 V.

Tonifier: 9 E — 1 P.

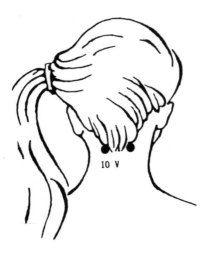

10 V: Derrière la nuque, sous le rebord inférieur du crâne, chacun situé à deux travers de doigts de la ligne médiane.

9 E: Sur le cou, au niveau de la partie supérieure de la pomme d'Adam, à un travers de doigt de chaque côté.

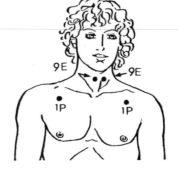

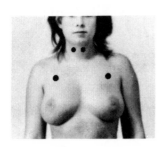

1 P: Sur la poitrine, à 3 travers de doigts sous la clavicule, dans sa partie concave, entre la 1ère et la 2ème côtes.

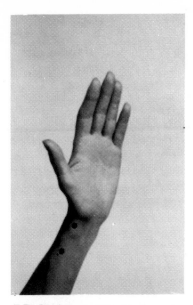

6 P: Sur la face antérieure de l'avant-bras, à 6 travers de doigts au-dessus du pli du poignet.

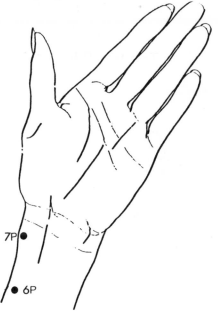

7 P: Sur l'avant-bras, dans la gouttière radiale où l'on sent battre l'artère radiale, dans le creux juste avant l'os du poignet.

Aromathérapie:

Si vous êtes aphone suite à un coup de froid, frictionner le cou avec de l'huile essentielle d'eucalyptus.

Homéopathie:

Si votre difficulté d'élocution provient d'un excès de voix, prendre 3 granules 4 fois par jour — Arnica 5 CH.

Plantes: Erysimum

Jeter 6 grammes de cette plante sèche par tasse d'eau bouillante. Laisser infuser 30 minutes. Boire 3 tasses dans la journée.

Lithographié au Canada
sur les presses de
Métropole Litho Inc.